# ACERCA DEL AUTOR

Alberto Calva Mercado nació en México. Es ingeniero industrial y de sistemas, y tiene maestría tanto en economía como en administración; todos estos grados los obtuvo en el Instituto Tecnológico y de Estudios Superiores de Monterrey (ITESM). Además, estudió los diplomados en finanzas corporativas y en principios del análisis económico en el Instituto Tecnológico Autónomo de México (ITAM).

Actualmente es socio y director general de la empresa Acus Consultores, S. C., que ofrece servicios de asesoría en finanzas corporativas, planeación estratégica y administración de negocios en general. También imparte cátedra en la Escuela de Graduados en Administración del ITESM —Campus Ciudad de México— y en el Centro de Investigación y Estudios de Posgrado del ITAM. Aunado a esto, se desempeña como conferencista y expositor de seminarios gerenciales y de alta dirección para diversas empresas.

Es colaborador semanal de los periódicos *El Financiero*, de circulación nacional, y *Siglo 21*, de Guadalajara. En ambos ha publicado cerca de 300 artículos, además de los que han aparecido en diferentes revistas del país. Participa también en la radio como comentarista.

Es miembro del Consejo Nacional de la Confederación Patronal de la República Mexicana y presidente de la Delegación Empresarial Poniente de esta Confederación.

# LO QUE TODO EJECUTIVO DEBE SABER SOBRE FINANZAS

Alberto Calva Mercado

# LO QUE TODO EJECUTIVO DEBE SABER SOBRE FINANZAS



grijalbo

**LO QUE TODO EJECUTIVO DEBE SABER SOBRE FINANZAS**



D.R. 1996 por EDITORIAL GRIJALBO, S.A. de C.V.
Calz. San Bartolo Naucalpan núm. 282
Argentina Poniente 11230
Miguel Hidalgo, México, D.F.



ISBN 970-05-0709-2

IMPRESO EN MÉXICO

*A mis padres:*
*Edmundo Calva Cuadrilla*
*y Juanita Mercado de Calva,*
*por su ejemplo,*
*por la educación que me ofrecieron,*
*por el cariño que me dieron.*

# Índice

# Agradecimientos

Seguramente cada vez que uno comienza la lectura de un libro revisa los agradecimientos del autor. Normalmente, al menos así lo pensaba yo, la cantidad de personas a las que se les reconoce en un libro son muchas. Sin embargo, ahora que me ha tocado a mí, me doy cuenta de que hacer un libro no es cuestión de sentarse frente a una computadora a escribir. Un libro es, normalmente, el resultado de muchos años de estudio, investigación, análisis y reflexión, lo cual involucra a muchísimas personas.

De esta forma, debo comenzar por agradecer a los cientos de alumnos que han participado en los diversos cursos que he ofrecido en distintas universidades del país como profesor de tiempo parcial. Siempre he buscado promover entre mis alumnos el que pregunten lo más posible, sin importar si sus cuestionamientos tienen o no respuesta. Se dice que el ignorante tiene todas las preguntas, pero el que sabe nunca tiene todas las respuestas. También se dice que en un salón de clases el que más aprende es el maestro. Ambas afirmaciones son totalmente ciertas. Gracias a todos ellos, a sus preguntas, a sus reflexiones, a sus críticas, he podido mejorar con el tiempo mi percepción y conocimiento sobre las finanzas corporativas. Estoy seguro de que sin ellos y ellas este libro no hubiera sido posible.

Por esta razón, tengo un sincero agradecimiento por la Escuela de Contaduría y Administración de la Universidad Anáhuac, donde impartí clases de enero de 1985 a junio de 1991, a la Escuela de Graduados en Administración, del Instituto Tecnológico y de Estudios Superiores de

Monterrey (ITESM), Campus Ciudad de México, donde he impartido cursos en sus programas de maestría y extensión universitaria desde septiembre de 1989, y finalmente al Centro de Investigación y Estudios de Posgrado, del Instituto Tecnológico Autónomo de México (ITAM), donde he impartido cursos en sus programas de maestría y diplomado desde octubre de 1993.

Por otro lado, este libro no es el resultado de una experiencia académica aislada. La relación con el mundo real de negocios ha sido fundamental para demostrar la aplicación práctica de los conceptos aquí presentados. Por esto, las experiencias obtenidas a través de trabajos de consultoría en empresas de diferentes tamaños, diversos giros, públicas y privadas, son invaluables. Un fuerte reconocimiento a todos mis clientes, que de alguna manera me han permitido aprender al mismo tiempo que buscábamos resolver un problema o apoyar a la dirección en sus procesos de toma de decisiones.

A través de múltiples seminarios gerenciales que he impartido, fui desarrollando muchos de los conceptos y cuadros que se presentan en este libro. Asimismo, su contenido ha sido expuesto como parte de algunos de estos seminarios, siempre buscando encontrar la forma de lograr que todos los participantes comprendieran en su parte fundamental los conceptos y que los utilizaran para apoyar su toma de decisiones, sin importar su área de trabajo dentro de la empresa o su especialidad.

A todos mis colaboradores en Acus Consultores, S.C. por el apoyo recibido en el desarrollo de todos los trabajos arriba mencionados, y en la conceptualización y desarrollo de muchos de los esquemas presentados en este libro.

Por último, un libro implica un gran esfuerzo y sacrificio de la familia. A mi esposa Piky por su apoyo, no sólo en los días y noches que escribí en casa, sino por las continuas noches en que llego tarde cuando voy a cumplir con la academia, y las largas jornadas de trabajo, incluyendo fines de semana, que me han demandado mis clientes. Espero que este libro justifique en parte todo ello.

A mi hijita Carolina, quien por su corta edad (tiene un año y cuatro meses) no sabe aún lo que es un libro. Sin embargo, si se da cuenta que su papá no le ha dedicado la atención, ni ha jugado con ella el tiempo que ambos hubiésemos querido. Debo confesar además que ella ha tenido un papel activo durante la escritura de este libro. Cuando escribía en casa frecuentemente la tenía en el estudio a mi lado jugando. En momentos de descuido, acostaba mi portafolio (que siempre está junto a la silla) y se subía en él. Una vez allí, estirando sus bracitos alcanzaba a oprimir el teclado y a mover el "mouse" de la computadora. Espero haber borrado todos los caracteres que llegó a escribir, y si no que lo hagan durante la edición de este libro. De otra forma, los famosos "duendes", de los que se ha hablado tanto en las imprentas por siglos, se habrán vuelto una realidad. Para mi duendecilla es todo mi amor.

Alberto Calva Mercado
México, D.F., julio de 1996

# Introducción

*Lo que todo ejecutivo debe saber sobre finanzas* es un libro para ser leído por todo aquel que está dentro, o quiere entender algo más, del mundo de los negocios. Está escrito para ser leído por los ejecutivos de cualquier área, de cualquier profesión, y dentro de cualquier tipo de organización. Para los ejecutivos financieros debiera ser un libro obligado, así como de consulta y reflexión. También es un libro de apoyo para los estudiantes de cursos en finanzas.

¿Qué tiene de distinto con respecto a cualquier texto clásico de finanzas corporativas? Básicamente este libro tiene tres características que lo diferencian de los demás:

*a*) Es sencillo y agradable de leer. Este libro fue escrito buscando evitar al máximo terminología rebuscada o compleja. Se trata de que todo mundo lo entienda y no sólo unos cuantos. Por otro lado, se ha buscado usar lo más posible cuadros, esquemas y resúmenes en cada uno de sus capítulos. También se han resaltado en *cursivas* las ideas más importantes en cada página. Esto debe hacer más agradable su lectura.

*b*) Está basado en la teoría financiera clásica y universal. En este libro no se han inventado nuevas teorías ni principios. Simplemente está basado en la teoría financiera que los autores clásicos (la gran mayoría extranjeros) ya han expuesto. Lo importante es que esta teoría financiera se analiza con un enfoque novedoso y práctico para los negocios, y adaptado al entorno financiero y económico latinoamericano *c*) Lo expuesto en este libro se ha utilizado en la realidad. No se trata de un libro de teoría pura. Todo lo expuesto en él ha sido probado en algún momento en situaciones reales en algunas empresas, con lo que no sólo se han adaptado los conceptos para hacerlo práctico, sino que se mencionan en muchos de los casos las dificultades para aplicar algunos conceptos en la realidad. Se puede decir que este libro no es el resultado de una investigación de cubículo, sino más bien es el resultado de la aplicación práctica de lo que la academia ha desarrollado.

*Lo que todo ejecutivo debe saber sobre finanzas* está dividido en ocho capítulos ordenados de forma lógica.

El capítulo 1 es una introducción al entorno de negocios, la toma de decisiones como esencia del éxito del hombre o mujer de negocios, las áreas funcionales en la empresa, el entorno operativo y general, la definición de finanzas, la relación de las finanzas con otras disciplinas en los negocios, y el objetivo de la corporación.

El capítulo 2 es una descripción de lo que debe leerse y entenderse cuando se tiene enfrente un estado financiero. Asimismo, busca mostrar la relación causal y lógica que existe entre los distintos estados financieros. Analiza la diferencia entre utilidad y flujo. Aunque algunas personas puedan pensar que esto es muy básico para un financiero, el que aquí escribe piensa que más vale no obviar en la base de prácticamente cualquier decisión financiera: la correcta interpretación de la información financiera. De nada sirve un financiero que sepa los conceptos más sofisticados si no domina lo esencial.

El capítulo 3 presenta un análisis gerencial de los estados financieros. Se basa en una serie de preguntas claves que deberíamos hacernos cada vez que tenemos frente a nosotros un estado financiero. Después de entender claramente de dónde salen los estados financieros, así como las relaciones causales que hay detrás de ellos, lo más relevante es que nuestras decisiones de negocios se basarán en simple información financiera. ¿Cuáles son las preguntas clave que debemos hacernos en cada caso?

El capítulo 4 abarca todo lo relacionado con el uso de razones financieras. No sólo se describen éstas, sino que se analiza lo que cada una de ellas nos puede decir, así como lo que podemos inferir en algunos casos. Algunos ejemplos de análisis de tendencias se presentan en este capítulo.

En el capítulo 5 se comienza con el análisis del lado izquierdo del balance general. En este caso se abarca lo relacionado con el activo circulante. También se abarca algo del pasivo de corto plazo, lo relacionado con proveedores o cuentas por pagar, para completar el análisis del capital de trabajo. ¿Cómo analizar una política de cuentas por cobrar, de inventarios o de cuentas por pagar? ¿Qué es y qué importancia tiene el capital de trabajo neto?

En el capítulo 6 se abarca el resto del lado izquierdo del balance general. En este caso se abarca lo relacionado con el activo fijo, con las decisiones de inversión en bienes de capital. El concepto de valor del dinero en el tiempo, las técnicas de evaluación —como valor presente neto y tasa interna de retorno—, el uso y limitaciones de cada técnica, son algunos de los temas que se analizan en este capítulo. A manera de anexo, en este capítulo se presentan los instructivos necesarios para el uso de calculadoras financieras y programas de cómputo.

En el capítulo 7 se abarca el lado derecho del balance general. Básicamente se analiza lo relacionado con el costo de capital —su importancia y su determinación—, así como la estructura financiera.

En el capítulo 8 se presenta una alternativa de análisis de la operación a través del modelo costo-volumen-utilidad.

Por último, en el epílogo se tratan de sintetizar las ideas estratégicas más importantes que debe tener quien leyó este libro.

Así pues, este libro pretende ser un escrito muy útil para el hombre y mujer de negocios. El lector dirá si se cumplió con este objetivo.

# 1. La función financiera y la toma de decisiones

## *El ejecutivo y la toma de decisiones*

Cada año vemos con sorpresa, y algo de envidia, la información sobre los ingresos que perciben los grandes directores de empresa. Sus sueldos, bonos y demás gratificaciones son lo suficientemente elevados como para ponernos a pensar en cómo hacerle para alcanzar esos niveles de ingreso. Las preguntas que nos hacemos en esos momentos son: ¿Por qué se le paga a un ejecutivo? ¿Qué determina que una persona en el mundo de los negocios pueda ganar más o menos dinero?

A un alto ejecutivo, a un director de empresas, se le paga por una sola razón: *por tomar decisiones*.

Esto puede parecer a primera instancia una simple palabra de libro de texto. La toma de decisiones puede parecer un capítulo más de algún libro de administración gerencial. Sin embargo, visto de manera simple, el éxito de un hombre o mujer de negocios, ya sea ejecutivo de una empresa o dueño de su propio negocio, es su capacidad para tomar decisiones.

La toma de decisiones forma parte de la rutina diaria. Definir qué camino tomar para ir a trabajar, decidir dónde comer, decidir qué trabajo hacer primero en la oficina y cual después, decidir cómo hablar al cliente para lograr la venta, son todas decisiones que toma cualquier persona día a día. Todas éstas son decisiones operativas que no requieren de ninguna cualidad especial.

El alto ejecutivo, sin embargo, toma decisiones todos los días que pueden tener un impacto de muchos millones de pesos en la empresa, que pueden determinar la creación o la pérdida de empleos, en fin, que pueden implicar la supervivencia de una empresa en su totalidad. La toma de decisiones de un alto ejecutivo tiene una característica común: son *decisiones estratégicas*.

De la misma manera, el ejecutivo financiero debe preocuparse por una sola cosa: cómo prepararse para tomar mejores decisiones. Dependiendo de esta capacidad de toma de decisiones, el ejecutivo financiero, como cualquier otro, determinará su capacidad para escalar en la organización a mejores puestos y mayores remuneraciones, o bien para lograr mejores negocios y mayores beneficios.

Pero, ¿qué requiere un hombre o mujer de negocios para ser un buen tomador de decisiones? Podemos decir que todo tomador de decisiones requiere de cuatro aspectos básicos (cuadro 1):

CUADRO 1

| QUÉ REQUIERE EL TOMADOR DE DECISIONES |
| --- |
| • INFORMACIÓN<br>• CONOCIMIENTOS<br>• EXPERIENCIA<br>• LIDERAZGO |

### *Información*

La información es uno de los recursos más valiosos que se pueden tener para tomar las mejores decisiones, y sin ella estaríamos navegando a la deriva. La información puede ser interna o externa. La información interna contempla aspectos como estados financieros, información de costos, informes de producción, información sobre la rotación de nuestro personal, etcétera. La información externa incluye lo relativo a periódicos, revistas especializadas, noticieros, conferencias, reuniones de cámaras o agrupaciones empresariales, etcétera.

Imaginarse a un ejecutivo que trabaja sin información es pensar en un barco sin rumbo. ¿Conoce empresas que funcionen así? ¿Cómo puede tomar decisiones un ejecutivo que ni siquiera conoce su información financiera? ¿Cómo puede tomar decisiones un director que no lee por lo menos un periódico al día para conocer lo que sucede en su entorno?

No olvidemos que hay ejecutivos que llevan a la empresa por el camino que ellos quieren. También hay otros, los que no tienen información, a quienes la empresa los lleva a ellos. Estos últimos son víctimas de las circunstancias, son resultado de las decisiones que están tomando otros.

La información, ya sea formal o informal, es uno de los activos más grandes que puede tener cualquier tomador de decisiones. Llevar a cabo su trabajo sin ella es inimaginable.

### *Conocimiento*

El saber es lo único que puede garantizar nuestro progreso. La teoría siempre va un paso adelante de la práctica.

El conocimiento que tiene un tomador de decisiones es lo que le permite relacionar las diversas variables que encuentra dentro de su empresa y en su entorno. Su conocimiento es lo que le permitirá inferir esquemas para guiar su propia toma de decisiones.

No importa cuánta información reciba un ejecutivo si no tiene el conocimiento para analizarla. De nada sirve que se le envíen estados financieros a todo el cuerpo directivo de una empresa si no saben cómo interpretar esta información. La lectura de un periódico puede ser irrelevante si no se saben interpretar adecuadamente las cifras económicas de un país, conociendo sus causas y efectos. ¿Cómo puede un ejecutivo llevar a cabo un análisis de mercado si no conoce las herramientas básicas para analizar su posicionamiento en el mismo?

En ocasiones habría que preguntarse si no será la falta de conocimiento lo que impide, al cuerpo directivo de la empresa, tomar mejores decisiones.

El conocimiento, a diferencia de otras habilidades que requiere un tomador de decisiones, es perfectamente transmisible. Gracias a ello, la humanidad a podido trasladar el conocimiento de generación en generación. El conocimiento es lo que todos hemos aprendido en la escuela. El conocimiento es lo que se busca comunicar a través de un libro.

Por último, no olvidemos que el nivel de desarrollo de un país estará determinado, en gran medida, por el conocimiento que tenga en general la población, y por su capacidad de generar nuevo conocimiento a través de la investigación y desarrollo. El tomador de decisiones no es la excepción.

### *Experiencia*

Bien dice el dicho que "más sabe el diablo por viejo que por diablo". La experiencia, la relación que se puede hacer por haber vivido situaciones similares en otros momentos, el acervo que se puede lograr al contar con una serie de vivencias que nos permitan contar con elementos para relacionarlos con nuestro conocimiento, para tomar decisiones, es sin duda otro de los elementos claves que requiere cualquier ejecutivo.

La experiencia, la sensibilidad de los negocios, la suspicacia propia de los grandes hombres y mujeres de empresa, puede ser esencial para tomar cualquier decisión. La experiencia sólo se adquiere con la edad, no es transmisible.

Pedirle a un "viejo lobo de mar" que nos transmita su experiencia es ilógico. Lo que nos podría transmitir es su conocimiento. El conocimiento finalmente ha surgido de la experiencia repetitiva, ordenada, demostrada y formalizada que ha logrado hacer la humanidad.

La experiencia, en un tomador de decisiones, es cuestión de tiempo. Una mezcla ideal es el conocimiento con experiencia. Uno sin el otro implicará una capacidad limitada para la toma de decisiones.

### *Liderazgo*

La capacidad de lograr que las cosas se den, la capacidad de conseguir que otros hagan lo que uno quiere que se haga, la capacidad de convencer, la capacidad de hacer equipo, eso es liderazgo. Warren Bennis, uno de los investigadores más reconocidos en lo relativo a este tema, señala que "el liderazgo es como la belleza, difícil de definir, pero la reconocemos cuando la vemos" (1).

¿Cuántas personas existen en el mundo que tienen la mejor información, un gran conocimiento y vasta experiencia y sin embargo no logran nada? La capacidad de liderazgo puede ser la diferencia entre un buen plan y un proyecto en marcha, la diferencia entre un hermoso sueño y una bella realidad, la diferencia entre el ideal y un mundo diferente.

¿Es posible formar líderes? ¿Es posible hacer un líder de cualquier persona? Mucho se ha escrito al respecto. Harold Geneen, ex director general de ITT, en su libro *Managing* escribe que "el liderazgo realmente no puede ser enseñado, sólo puede ser aprendido" (2).

Lo que sí parece un hecho es que un líder se hace a partir de un niño o de un joven. Difícilmente lo lograremos de un adulto.

El liderazgo es importante para lograr que la toma de decisiones se concluya. Sin el líder, la toma de decisiones se quedará en un simple plan.

Así pues, *el tomador de decisiones es alguien que cuenta entre sus habilidades y herramientas con información, conocimiento, experiencia y liderazgo*. Pero, ¿qué hacer si no se cuenta con todas estas características? Busque rodearse de gente que sea fuerte en lo que usted no es. Es posible que en equipo logren más.

El ejecutivo financiero, al igual que cualquier ejecutivo, debe buscar tomar las mejores decisiones. Es el objetivo de este libro apoyar a cualquier hombre o mujer de negocios a tomar mejores decisiones.

## ***Las áreas funcionales de negocios***

La toma de decisiones dentro de una empresa se realiza sobre cuatro áreas funcionales: *mercadotecnia, producción, recursos humanos y finanzas* (véase cuadro 2). Toda empresa, sin importar qué giro tenga, tiene estas cuatro áreas funcionales. No hay ninguna empresa que sea "financiera". Lo que ocurre en un banco o en una casa de bolsa es que allí el proceso productivo consiste en buscar oferentes y demandantes de dinero y en ponerlos de acuerdo. El negocio en una empresa "financiera" consiste en comprar y vender dinero.

Así pues, en cualquier negocio se pueden identificar estas cuatro áreas de negocios. Pero, ¿cuál es la importancia de detectarlas?

La importancia de identificar estas áreas de negocios radica en poder tomar las decisiones adecuadas sobre la función de negocios correcta. En otras palabras, definir las estrategias propias para cada función de negocio.

Toda empresa comienza con mercadotecnia. Sin ella no hay negocio. *Lo primero que se requiere es identificar una necesidad insatisfecha.* Sin esto, no importa qué tan magníficos financieros seamos, no habrá negocio. Es la mercadotecnia la que debe identificar la necesidad insatisfecha, desarrollar el satisfactor adecuado, y conocer y medir el mercado. En fin, el primer paso en cualquier negocio es desarrollar nuestra estrategia de mercadotecnia.

CUADRO 2
Toma de decisiones sobre
las áreas funcionales de negocio

Una vez definido el satisfactor, es trabajo de producción el crearlo. *Es producción quien hará la transformación, o dará el servicio necesario, para crear el satisfactor.* Es esta área la que da el valor agregado a través de la transformación de materiales en un bien o a través de proporcionar el servicio al mercado. Es producción quien debe buscar la mejor tecnología, tanto dura (máquinas) como suave (sistemas), para lograr crear el satisfactor de una necesidad para el mercado.

La función de recursos humanos tiene un papel importante dentro de cualquier negocio ya que es ésta la que se preocupa por *atraer, mantener y desarrollar a la gente necesaria* para lograr las distintas funciones dentro de la empresa. No en balde se ha insistido en que el recursos más valioso para la empresa es el recurso humano. La tecnología humana es determinante para establecer la capacidad competitiva en cualquier empresa.

Por último, la función financiera. ¿Por qué hasta el final? Se puede decir que la función financiera es la última dentro de la empresa. Efectivamente, la última, que no la menos importante. Es tan importante como cualquier otra pero no podemos, o no deberíamos, pensar en ella si no se tienen resueltas en principio las otras tres funciones de negocios.

Lo que hace la función financiera *es evaluar en términos monetarios la actividad de toda la empresa*; cuantificar en pesos y centavos las actividades de mercadotecnia, producción y recursos humanos. Es la función financiera quien determina finalmente si la factibilidad de las otras tres funciones de negocio es rentable o no.

Es ilógico pensar en un financiero que no toma en cuenta, o no entiende, las otras áreas de negocios. ¿De qué nos sirve un financiero que lleva a cabo una excelente proyección de estados financieros si no tiene previamente una estrategia de mercadotecnia? ¿De qué sirven las finanzas si no hemos evaluado anteriormente la factibilidad de producir un bien o servicio, o si no contamos con la gente adecuada?

Debemos, pues, insistir en dos cosas:

*a*) La función financiera es tan importante como cualquier otra dentro de la empresa; no lo es más ni menos. Sin embargo, sí es la última función. Si no consideramos las funciones de mercadotecnia, producción y recursos humanos, cualquier esfuerzo que hagamos en finanzas será relativo.

*b*) Debemos pensar en el ejecutivo financiero integral, al igual que en un ejecutivo integral en cualquier área de negocios o en la dirección general. El ejecutivo integral es aquel que, además de ser un especialista en su campo de trabajo, es un buen conocedor de todas las áreas funcionales de negocios, así como de la interrelación que existe entre ellas.

Con esto, es importante entender que aunque el que lee este libro puede ser, o se prepara para ser, un especialista financiero, su campo de estudio debe incluir una fuerte preparación en las otras funciones de negocios y su relación con las finanzas. No se trata de contar en las empresas con "técnicos financieros", sino con *ejecutivos financieros integrales* que sean unos expertos en la teoría financiera y unos buenos conocedores de la teoría en mercadotecnia, producción y recursos humanos. Para los ejecutivos especialistas en otras áreas de negocios, este libro busca proporcionarles los conocimientos necesarios para completar su formación como *ejecutivos integrales*.

## *El entorno de los negocios*

Una vez comprendido el interior del negocio a través de sus cuatro áreas funcionales de negocios —mercadotecnia, producción, recursos humanos y finanzas—, cualquier ejecutivo, para continuar con su proceso de toma de decisiones, debe considerar el entorno de la empresa (véase cuadro 3).

El entorno inmediato que tiene una empresa es su *medio operativo* o *medio industrial* o simplemente *mercado*. A cualquier negocio lo primero que le interesa conocer y controlar son aquellas variables que le afectan a él mismo y a sus competidores. Es decir, le interesan aquellas variables propias de su giro, de su sector industrial.

Por ejemplo, el tipo y estructura que tienen los clientes para un banco son solamente relevantes para ese sector; a una empresa restaurantera le preocupará otro tipo de análisis sobre sus clientes.

CUADRO 3

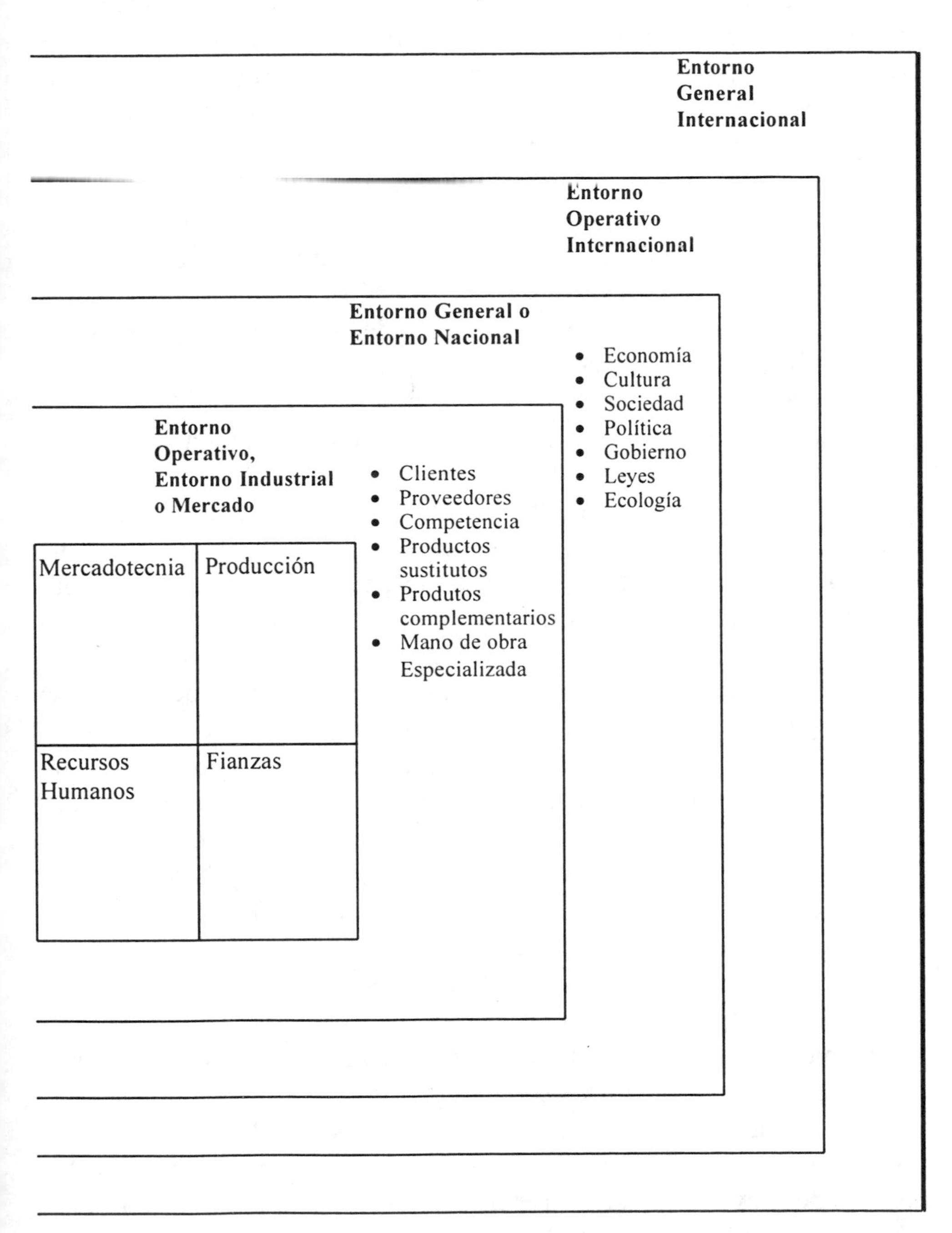
Entorno
General
Internacional
Entorno
Operativo
Internacional
Entorno General o
Entorno Nacional
• Economía
• Cultura
• Sociedad
• Política
• Gobierno
• Leyes
• Ecología
Entorno
Operativo,
Entorno Industrial
o Mercado
• Clientes
• Proveedores
• Competencia
• Productos sustitutos
• Produtos complementarios
• Mano de obra Especializada
Mercadotecnia
Producción
Recursos Humanos
Fianzas

Dentro del entorno operativo encontramos variables como: clientes (grado de concentración de éstos, clientes profesionales o no, etcétera), proveedores (grado de concentración, posibilidad de éstos de integrarse verticalmente hacia adelante, etcétera), competencia (número de empresas en el sector, crecimiento del mercado, etcétera), productos sustitutos (posibilidad de que otros productos similares al nuestro lo desplacen), productos complementarios (dependencia de nuestro producto en otro), mano de obra especializada, etcétera. Un buen esquema de análisis del medio operativo lo presenta Michael Porter en sus diferentes obras (3).

Una vez entendido el entorno inmediato de nuestra empresa, el entorno operativo, nos interesa conocer y anticiparnos a cambios en el *medio general* o *medio nacional* de nuestra empresa. Las variables que afectan a todas las empresas por igual, que tienen un alcance a toda la sociedad y no sólo a nuestro medio operativo.

Dentro del entorno general nos interesa entender variables como la economía, cultura, sociedad, tipo de gobierno, legislaciones, ecología, etcétera. A diferencia de las variables del entorno operativo, las variables del entorno general nos interesan a todos por igual porque afectan a todos los negocios sin importar su giro.

En una nación cerrada al mundo exterior, el entorno operativo y el entorno general que afectan nuestra toma de decisiones son sólo los referentes a las variables domésticas o nacionales. Sin embargo, en una economía abierta, y sobre todo en una sociedad donde se tiene una actividad comercial significativa con otras naciones, existen dos niveles más que el tomador de decisiones debe conocer, analizar y considerar: el entorno operativo internacional y el entorno general internacional.

En la época actual ya no sólo interesa al ejecutivo considerar las variables domésticas sino todas las alternativas que existen en el mundo. Ahora debemos considerar posibles compradores o proveedores en diversos países. Las distancias están perdiendo importancia. La comunicación es tal que los negocios son a nivel mundial.

De la misma manera, lo que ocurre en otros países puede afectar a nuestros negocios. La economía de otros países nos puede abrir oportunidades de nuevos mercados o riesgos de nueva competencia. Es importante conocer la cultura de cada país o región antes de establecer cualquier estrategia de negocios.

En fin, ¿cuál es la situación del tomador de decisiones hoy en día? Se habla de negocios globales, de ejecutivos o tomadores de decisiones en un ambiente global donde es necesario tomar en cuenta a todo el mundo en nuestras decisiones. Estamos refiriéndonos a que hoy en día el ejecutivo exitoso es un tomador de decisiones integral porque conoce bien todas las áreas funcionales de negocios (mercadotecnia, producción, recursos humanos y finanzas) y se interrelaciona con el medio operativo y general, tanto nacional como internacional. Un ejecutivo exitoso es aquel que es capaz de relacionar adecuadamente todas estas variables, tanto internas de la empresa como externas, para llegar a una toma de decisiones integral e interrelacionada.

El ejecutivo financiero es sólo parte de este gran proceso de toma de decisiones. Aunque su especialización es en una sola función de negocios, la financiera, el alcance de su visión y capacidad de relacionar variables debe ser global.

## *La función financiera*

La función financiera la podríamos definir fácilmente (cuadro 4) con un esquema presentado en la obra de Brealey & Myers (4). El trabajo del financiero es relacionar a la empresa con los mercados financieros.

¿Qué es un mercado financiero? Se trata del lugar donde se juntan oferentes y demandantes de dinero. Un mercado financiero no tiene gran diferencia con un mercado de legumbres. La única diferencia es que en el mercado financiero se compra y vende dinero, mientras que en un mercado de legumbres se compran y venden diversas verduras.

Como cualquier mercado, el mercado financiero responde a las curvas de oferta y demanda. En un mercado típico se podría graficar la función oferta y la función demanda en un cuadrante donde en el eje de las abscisas (eje X) indicamos la cantidad del producto y en el eje de las ordenadas (eje Y) se indica el precio. Las curvas de oferta y demanda se cruzarán en el precio de equilibrio de mercado, indicando la cantidad de equilibrio.

CUADRO 4

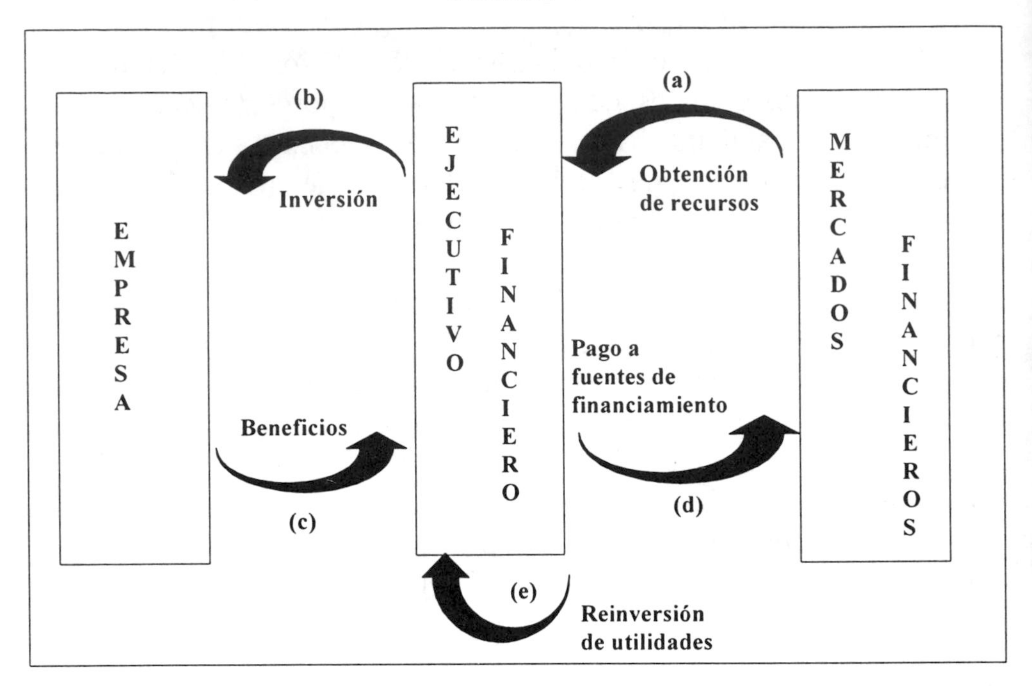


Adaptado de Brealey, Richard A. & Stewart C. Myers, *Principles of Corporate Finance*, McGraw-Hill, 4a. ed., 1991, p. 4.

En el caso de los mercados financieros la gráfica sería igual; sólo cambian las variables (cuadro 5). El eje de las abscisas (eje X) sería la cantidad de dinero y el eje de las ordenadas (eje Y) sería el precio del dinero, es decir, la tasa de interés. La curva de la oferta estaría formada por los ahorradores; a mayor tasa habrá más ahorradores dispuestos a prestar su dinero. La curva de la demanda estaría formada por las empresas que requieren de dinero; a menor tasa están dispuestas a demandar más dinero para sus proyectos.

Mientras más intermediarios metamos en un mercado financiero esto implicará una serie de curvas. Por ejemplo, en el caso de un banco (cuadro 6) lo primero sería que éste (demandante) capta dinero de los ahorradores (oferentes) a una tasa pasiva (tasa pasiva es la que paga el banco a sus ahorradores). Posteriormente, el banco (oferente) presta dinero a las

CUADRO 5

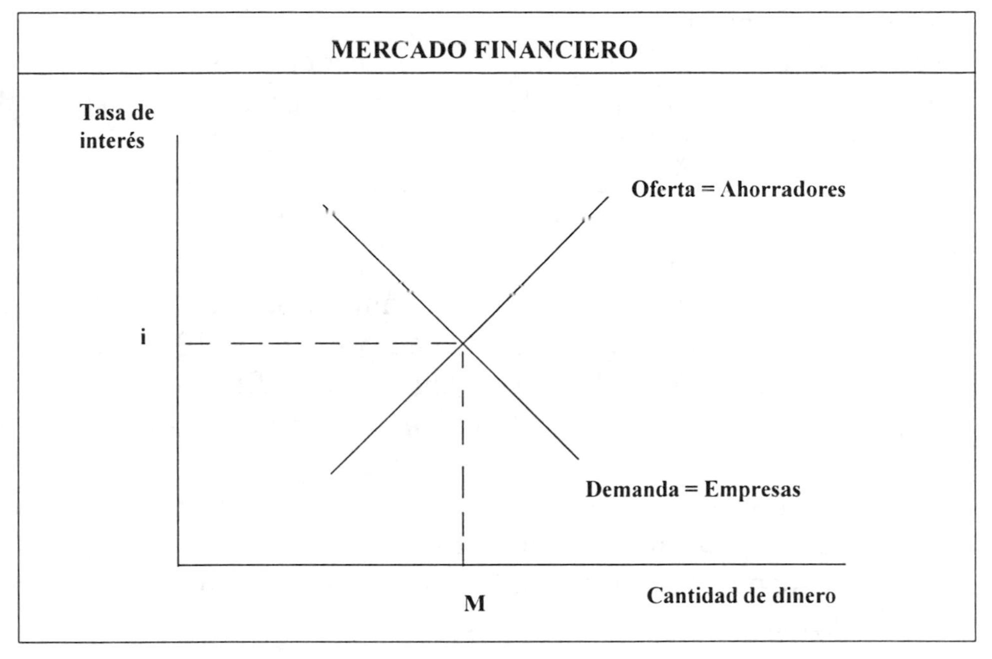


CUADRO 6

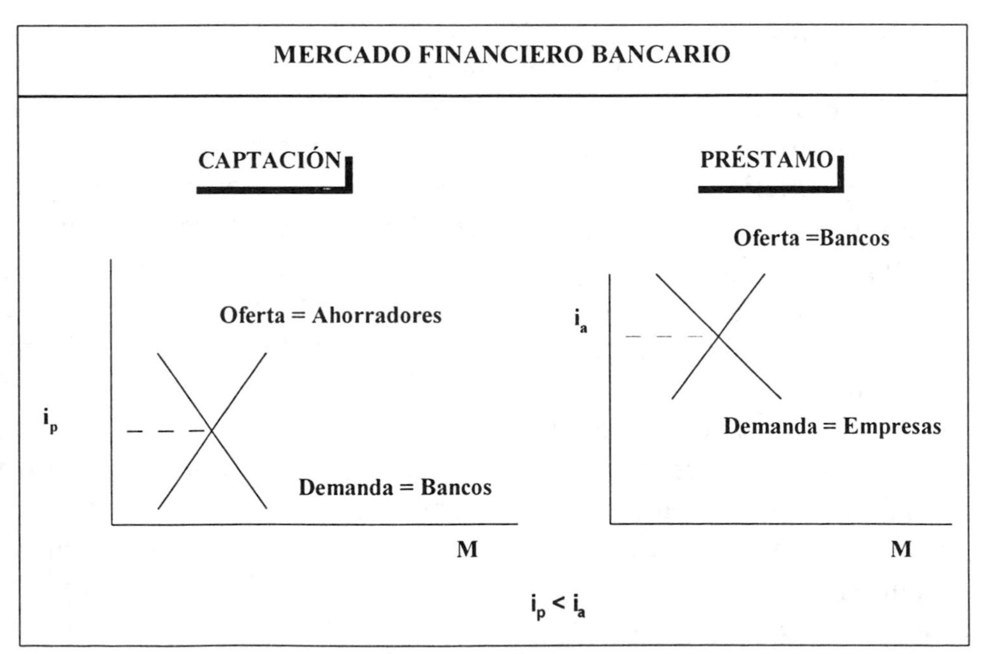

empresas (demandantes) a una tasa activa (tasa activa es la que cobra el banco a sus clientes).

De esta manera, la primera función del financiero es analizar en los mercados financieros a los posibles oferentes de recursos para la empresa: bancos, bolsa de valores, accionistas, etcétera (cuadro 4, punto (a)), para obtener los recursos necesarios para la empresa. El financiero debe evaluar para cada posible oferente de dinero variables como tasa de interés (costo), plazo y riesgo.

Posteriormente, el financiero debe evaluar diferentes alternativas de inversión dentro de la empresa (cuadro 4, punto (b)). Las inversiones en la empresa pueden ser en algún activo fijo, como también en inventarios o cuentas por cobrar por crédito otorgado a nuestros clientes.

Aunque detrás de cada una de estas decisiones financieras de inversión debe haber previamente un estudio de mercadotecnia, producción y recursos humanos, sí es labor del financiero evaluar monetariamente cada inversión y determinar el beneficio neto que representa para la empresa.

Una vez realizada la inversión, es función del financiero cuidar los beneficios que se vayan obteniendo de éstas, analizándolos y controlándolos (cuadro 4, punto (c)). Es obligación del financiero conocer la rentabilidad específica de cada proyecto, de cada línea de productos, e identificar las causas por las que es más o menos rentable.

Con el beneficio generado por estas inversiones, el financiero debe decidir uno de dos caminos. Puede devolver los beneficios a los mercados financieros (cuadro 4, punto (d)) a manera de pago de intereses, amortizaciones de deuda, pago de dividendos, retiros de capital, etcétera. Por otro lado, puede decidir reinvertir esos beneficios (cuadro 4, punto (e)) manteniéndolos en la empresa.

Así nos damos cuenta de que el trabajo de un financiero se puede identificar en dos grandes aspectos: decisiones de financiamiento y decisiones de inversión. De esta manera, podemos esquematizar de un modo muy simple, pero muy completo, la función del ejecutivo financiero.

## *Áreas relacionadas con finanzas*

Aunque podríamos decir que de una manera u otra las finanzas tienen relación con todas las áreas de la empresa, en forma directa y específica sí podemos encontrar una mayor relación de las finanzas con ciertas áreas dentro de nuestros negocios (cuadro 7).

El ejecutivo financiero recibe la información sobre la operación de la empresa de la contabilidad. La contabilidad es un sistema de información cuya función es percibir la realidad de la empresa, interpretarla, clasificarla, registrarla y sintetizarla. El producto final de la operación contable que es útil para el financiero son los estados financieros de la empresa.

Es importante señalar que el trabajo del financiero se inicia con la recepción de la información financiera. No es trabajo del financiero cuidar que el cierre de información se dé a tiempo, o que las declaraciones de impuestos sean preparadas y presentadas a tiempo. Todo esto es demasiado operativo para un ejecutivo financiero.

Si bien la oportunidad y la confiabilidad de la información que genera contabilidad son factores críticos del éxito de la toma de decisiones del

CUADRO 7

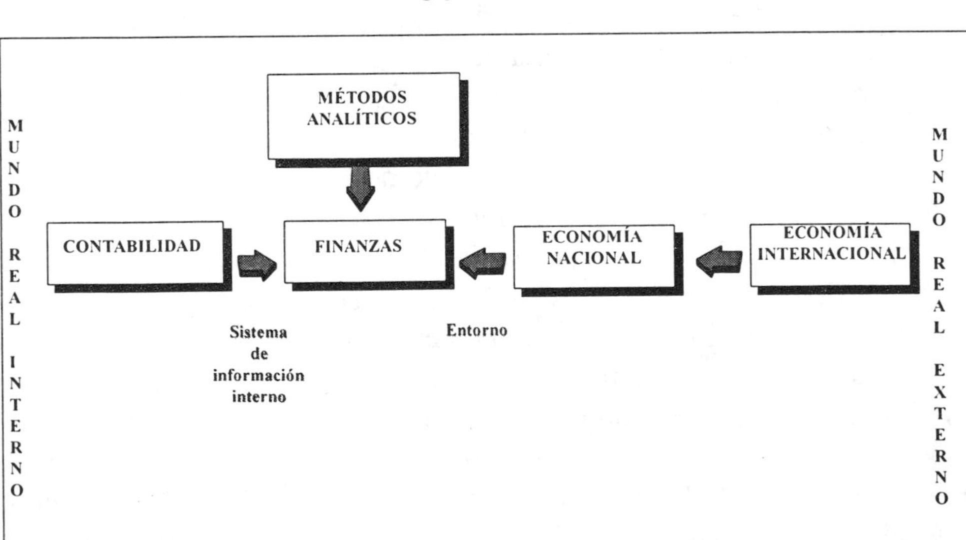

ejecutivo financiero, la operación contable, al ser una actividad totalmente operativa, es mucho más fácil de estructurar, sistematizar y delegar en el contador general. Insistiría, sin embargo, que aunque no es función del financiero cuidar la contabilidad, si es condición esencial de cualquier financiero conocer perfectamente los procesos contables, ya que son su materia prima para la toma de decisiones.

Si el entorno fuera constante y simple, el financiero podría tomar decisiones con base en la información interna que le genera contabilidad. Como esto no es así, cualquier financiero debe conocer perfectamente la teoría económica para identificar, interpretar y relacionar la variables del entorno económico que afectan al negocio.

De la misma manera que es importante conocer e interpretar los estados financieros, el ejecutivo financiero debe saber hacerlo con variables como producto interno bruto, mecanismos de definición de tasas de interés, causas y efectos de la inflación, etcétera. Esto lo lleva a entender, de una manera práctica, la teoría económica.

Como el desarrollo de los negocios se hace en un entorno internacional, de la misma manera el conocimiento de la economía internacional se vuelve necesario para el ejecutivo financiero. Variables como la determinación de tasas internacionales, tipos de cambio, balanza de pagos, etcétera, son algunos de los parámetros que debe mantener en mente el financiero.

Por último, la adecuada relación de variables, especialmente en tiempos donde los cambios son sumamente rápidos, obliga al financiero a prepararse fuertemente en métodos analíticos. Esto incluye aspectos como matemáticas financieras, probabilidad y estadística, y computación.

La simple composición de tasas, manejo de índices, uso de tasas reales, cálculo de tasas equivalentes, entre muchos otros, hacen necesaria la comprensión y manejo ágil de las matemáticas. El uso de modelos probabilísticos o estocásticos, donde el manejo de variables se hace a manera de distribuciones de probabilidad hace que el financiero cuente con conocimientos de estadística. Esto, si bien no es lo más común y usual en nuestro medio hoy en día, si irá tomando mayor importancia en poco tiempo.

Por último, ¿se puede imaginar un financiero sin una computadora? El financiero que trabaja con una hoja tabular de grandes dimensiones, las famosas "sábanas", ya pasó a la historia. El ejecutivo financiero que no usa la computadora para generar parámetros que le ayuden en su toma de decisiones está totalmente fuera del contexto actual.

Con todo esto, podemos concluir que la función financiera que lleva a cabo un ejecutivo, consiste en tomar decisiones de inversión y decisiones de financiamiento. Para ello, el financiero debe prepararse, además de en todo lo relacionado con la teoría financiera, en contabilidad, economía y métodos analíticos.

## *El objetivo de la empresa*

La labor de un ejecutivo financiero es tomar decisiones de inversión y financiamiento, pero todo esto debe estar regulado por un objetivo general. Todo negocio tiene un objetivo general (cuadro 8) que consiste en "maximizar el precio de la acción de la empresa".

CUADRO 8

**VALORES**

⇓

**OBJETIVO DE LA EMPRESA**

- Maximizar beneficios futuros de la empresa

⇓

- Maximizar el valor presente de la empresa

⇓

- Maximizar el precio de la acción de la empresa

Para lograr esto es necesario que los ejecutivos busquen "maximizar el valor presente de la empresa", a través de "maximizar los beneficios futuros de la empresa".

Este objetivo general aplica a todos los ejecutivos de una corporación y no solamente a los ejecutivos financieros. Incluso, con diferente alcance, este objetivo debe aplicar a todo aquel que trabaje en la corporación.

Para alcanzar el objetivo, los altos ejecutivos de cada empresa deben trabajar en el desarrollo de "estrategias". Éstas deben señalar el camino básico que debe seguirse en las distintas áreas de la empresa para alcanzar el objetivo. Por esto, el ejecutivo financiero principal es el encargado de desarrollar las estrategias financieras para alcanzar el objetivo.

Por otro lado, también es importante señalar que sobre el objetivo de cualquier empresa se encuentran los "valores" de la corporación, que normalmente están de acuerdo con los valores de sus principales accionistas y funcionarios. Esto es lo que limita que la actividad de la empresa no se salga de ciertos principios éticos.

## Notas y referencias


(1) Bennis, Warren G., *On Becoming a Leader*, Addison-Wesley, 1989, p. 1.
(2) Geneen, Harold, *Managing*, Avon Books, 1984, p. 133.
(3) Porter, Michael E., *Competitive Strategy*, The Free Press.
(4) Brealey, Richard A. & Stewart C. Myers, *Principles of Corporate Finance*, McGraw-Hill.

# 2. Leyendo y entendiendo los estados financieros

## *La información financiera*

La materia prima para el trabajo del analista financiero es la información. Por esto, es imprescindible el conocimiento necesario para interpretar perfectamente la información contable y financiera.

En todo el flujo de información, se puede distinguir el proceso contable y el análisis financiero (cuadro 1). Ambos deben ser dominados por el financiero. Ambos son abstracciones de la realidad, son un juego de números que pretenden reflejar la operación y situación de nuestros negocios.

Todo parte del mundo real. Dentro de una empresa podemos decir que esta realidad la componen su operación diaria: ventas, producción, compras, distribución, etcétera. El objeto de contar con un sistema contable es lograr reflejar de una manera sintetizada y numérica esta realidad.

Así pues, el primer trabajo de quien ejerce la función de contador es "percibir la realidad". *Entender la operación de la empresa es condición* sine qua non *para que un contador pueda llevar a cabo su trabajo correctamente*. No olvidemos que el objetivo es reflejar la realidad de la operación de la empresa. Por esto, *es la contabilidad la que debe adaptarse a la operación propia de cada empresa y no debe esperarse que sea la operación la que se adapte a la contabilidad.*

Es importante que todo aquel que tiene algún trabajo dentro de las áreas de contabilidad y finanzas esté en contacto total con la operación

CUADRO 1
El proceso contable y el análisis financiero

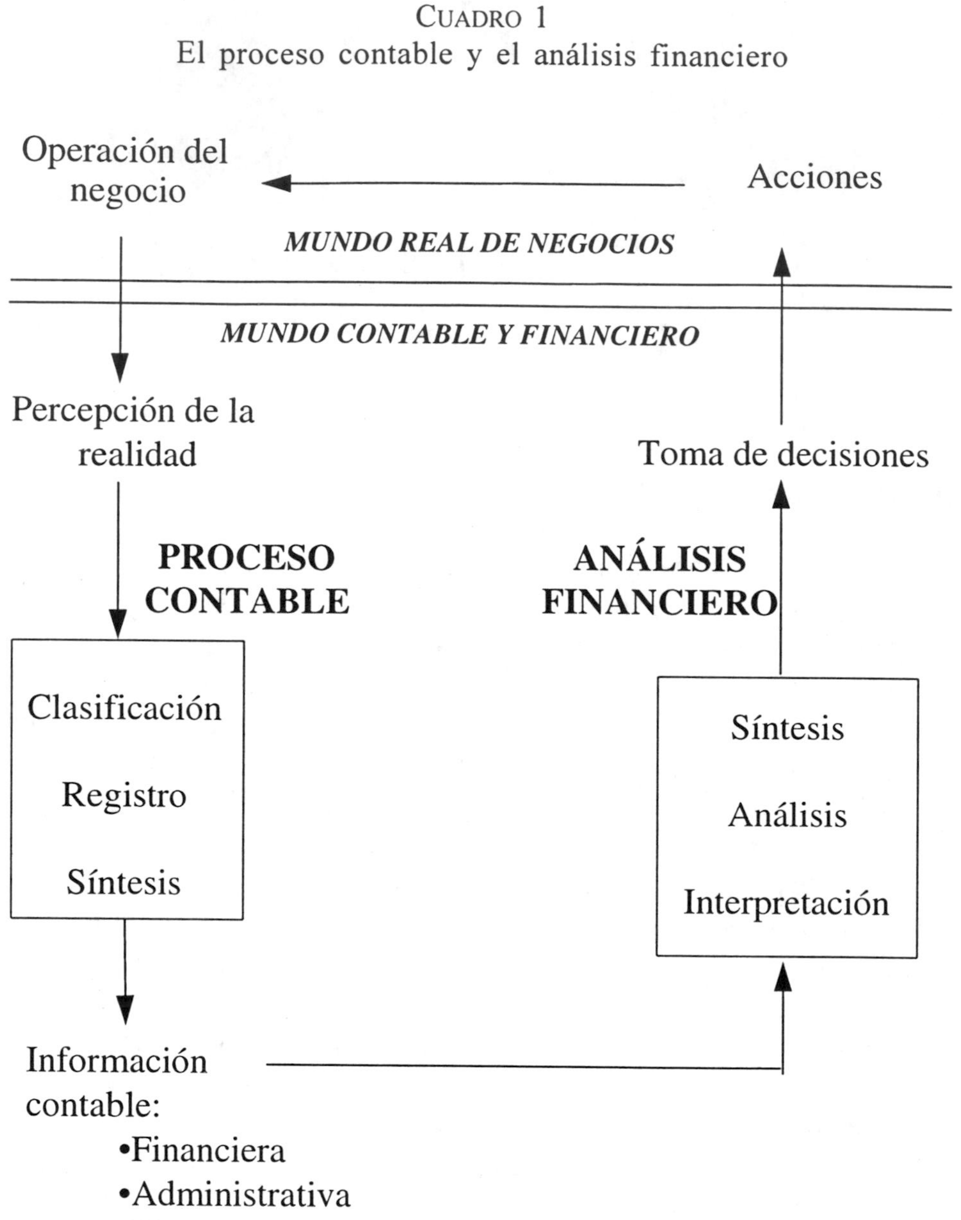

de la empresa. Visitas constantes a la planta, conocer a fondo cada producto, sus características, cómo se produce, entender el mercado, son algunas de las actividades que podemos buscar que realicen regularmente nuestros contadores y analistas financieros, así como nosotros mismos. Para lograrlo es bueno mantener un estrecho contacto con las otras áreas funcionales de negocios de nuestra empresa.

Una labor importante para tener éxito en la generación de la información es lograr que aquellos que la producen entiendan que *la contabilidad está al servicio de la operación de la empresa y no viceversa.*

Una vez percibida la realidad, el contador procede a iniciar un proceso contable. La información debe ser clasificada, registrada y sintetizada. La clasificación dependerá de la naturaleza propia de cada empresa. El nivel de detalle del registro dependerá en gran medida de las características de nuestros catálogos de cuentas. Un catálogo de cuentas muy detallado nos permitirá contar con información precisa, pero el costo de registrar y el riesgo de error serán altos. Por contra, un catálogo de cuentas poco detallado nos hará fácil y barato su registro, pero la falta de información precisa nos implicará un costo en la toma de decisiones. Cada financiero debe analizar y decidir el detalle con que requiere su información.

La síntesis de los datos generará la información necesaria para comenzar con nuestro análisis financiero. En general, podemos pensar que la contabilidad genera tres tipos de información: financiera, administrativa y fiscal.

La primera, la *contabilidad financiera*, es la que cumple con los parámetros de presentación que establecen los principios de contabilidad generalmente aceptados. Esta información normalmente es similar en todos los países y su distribución es amplia y general: ejecutivos de la empresa, bancos, accionistas, analistas externos, etcétera. Esta es la información que utilizamos fundamentalmente en el análisis financiero.

La *contabilidad administrativa* es la que genera información de costos y presupuestos. Su detalle es alto, no existen reglas escritas para su generación, impera el sentido común y un enfoque de ingeniería, se prepara normalmente con base en los requerimientos de la gerencia y su necesidad de detalle para la toma de decisiones, y es información interna que normalmente no debe salir de la empresa.

La *contabilidad fiscal* tiene dos objetivos: cumplir con la ley y pagar los menores impuestos posibles. A través de la contabilidad fiscal buscamos clasificar la información de tal forma que estemos cumpliendo perfectamente con la legislación fiscal. Su resultado es una utilidad fiscal que nos ayuda a determinar el monto de los impuestos a pagar. Además de esto, su uso es prácticamente nulo para la toma de decisiones.

De esta manera, la información financiera es la materia prima para el analista financiero. Su trabajo consiste en obtener esta información, interpretarla adecuadamente, analizarla y sintetizar sus observaciones sobre esta información. Es claro que si el analista financiero no entiende perfectamente el proceso contable, le será difícil interpretar adecuadamente la información y llegar a conclusiones válidas.

El analista financiero generará estudios y observaciones que permitirán una toma de decisiones sobre la operación de la empresa para buscar alcanzar un objetivo determinado. Esta toma de decisiones se convertirá en acciones en la realidad de nuestras empresas.

Así pues, *se trata de un ciclo cerrado que comienza con el proceso contable y continúa con el análisis financiero. Uno sin el otro no tienen sentido.* Si sólo procesamos una contabilidad en nuestras empresas y nadie la analiza ni la utiliza para su toma de decisiones, entonces puede dejar de trabajar en la contabilidad; no sirve de nada. Por contra, si contamos con el mejor analista financiero, pero no tenemos un sistema contable confiable, cualquier conclusión a la que se llegue con el análisis será seguramente errónea.

No sólo es importante que exista un adecuado sistema contable y un buen análisis financiero, lo ideal es que quien realice el análisis conozca de forma operativa el proceso contable.

## *Los estados financieros*

Los estados financieros son la información básica o materia prima de cualquier análisis financiero. Su estructura es totalmente lógica. Una vez que los hayamos analizado encontraremos que quien los desarrolló, siguió una lógica de pensamiento humano totalmente clara. Por esto, no debe ser difícil para nadie entenderlos. Lo único importante es recibir una explicación clara de ellos por primera vez y después usar mucho de sentido común para leerlos.

*Existen básicamente tres estados financieros. El primero, el balance general*, busca presentarnos la situación de la empresa a una fecha determinada. De alguna manera podemos decir que nos presenta la estructura de la empresa, es decir, cuánto y qué tiene, y por el otro, cuánto de lo que tiene se lo debe a externos de la compañía (banco, proveedores, etcétera) y cuánto a los accionistas.

*El segundo, el estado de resultados*, busca presentarnos un relación de lo sucedido durante un periodo determinado para evaluar la eficiencia de la actividad de la empresa. Nos permite percibir de manera rápida cómo se generaron las utilidades de la empresa. De esta manera podremos saber por qué una empresa está generando mayor o menor utilidad en un periodo determinado. La utilidad es, como lo comentaremos más adelante, sinónimo de riqueza, mas no necesariamente de efectivo. Por esto, es necesario otro estado financiero que nos mida la generación de flujo de efectivo.

*Nuestro tercer estado financiero es el estado de cambios en la situación financiera*. Con él buscamos medir, para un periodo determinado, de dónde se obtuvieron recursos para trabajar e invertir en la empresa, y en qué se utilizaron estos recursos. *Por otro lado, el estado de flujo de efectivo* nos muestra los movimientos totales de dinero en un periodo determinado.

Vayamos analizando cada uno de estos estados financieros en detalle.

## *El balance general*

*El balance general es un estado financiero que nos muestra la situación financiera de la empresa a una fecha determinada. No nos dice qué pasó, solamente cómo está la empresa a esa fecha.*

El balance general se divide en dos grandes partes: a la izquierda se presenta el activo y a la derecha se presenta el pasivo y el capital (cuadro 2). El primero, el activo, muestra todo aquello que tiene la empresa. No importa si lo debe o no, simplemente se relaciona todo aquello que puede tener una empresa. El pasivo nos muestra todo aquello que debe-

CUADRO 2
Balance general
al 31 de diciembre

<table>
<tr>
<td>
ACTIVO CIRCULANTE<br>
Activo disponible:<br>
  Efectivo<br>
  Inversiones temporales<br>
Clientes/cuentas por cobrar<br>
Inventarios:<br>
  de producto terminado<br>
  de producción en proceso<br>
  de materia prima<br>
  de refacciones<br>
<br>
ACTIVO DE LARGO PLAZO<br>
Cuentas y documentos por cobrar<br>
Inversiones en acciones<br>
Otras inversiones<br>
<br>
ACTIVO FIJO<br>
Inmuebles, planta y equipo:<br>
  Inmuebles<br>
  Maquinaria y equipo<br>
  Equipo de transporte<br>
  Otro activo fijo<br>
Depreciación acumulada<br>
Actualización del activo<br>
Actualización de la depreciación<br>
<br>
ACTIVO DIFERIDO
</td>
<td>
PASIVO CIRCULANTE<br>
Proveedores/cuentas por pagar<br>
Créditos bancarios<br>
Créditos no-bancarios<br>
Impuestos por pagar<br>
Otro pasivo circulante<br>
<br>
PORCIÓN CIRCULANTE DEL PASIVO DE LARGO PLAZO<br>
<br>
PASIVO DE LARGO PLAZO<br>
Créditos bancarios:<br>
  en moneda nacional<br>
  en moneda extranjera<br>
Créditos no-bancarios<br>
Otros créditos<br>
<br>
CAPITAL CONTABLE<br>
Capital social<br>
Prima sobre venta de acciones<br>
Aportaciones para futuros aumentos de capital<br>
Utilidades retenidas<br>
Utilidades del ejercicio<br>
Actualización del capital<br>
Exceso (insuficiencia) en la actualización del capital
</td>
</tr>
</table>

mos. Nuestro pasivo puede ser con diferentes acreedores externos, como son proveedores, bancos, gobierno, nuestros propios empleados y otros. El capital, o mejor dicho el capital contable, nos muestra aquellos recursos que son propiedad del accionista.

Y con esto llegamos a uno de los primeros aspectos lógicos de los estados financieros. Para que una empresa pueda adquirir cualquier cosa (activo), alguien debe darle el dinero, ya sea algún externo a manera de préstamo (pasivo) o una aportación del accionista (capital). Posteriormente, cuando la empresa genera riqueza (utilidad), ésta se vuelve propiedad de los accionistas. Por esto, *partamos de un principio básico: el activo debe ser igual a la suma del pasivo más el capital en todo momento.*

Y aunque esto puede parecer algo elemental, ya que finalmente no tiene nada fuera de lo común si pensamos en los principios químicos de conservación de la materia, su correcta conceptualización puede ayudarnos a la larga a desarrollar controles precisos en un negocio y a detectar rápidamente cualquier movimiento raro en la corporación.

Todo el balance general, tanto activo como pasivo y capital, está ordenado lógicamente. Las primera partidas, las de hasta arriba, serán las más líquidas, llegando hasta abajo a las menos líquidas. Debemos entender por liquidez la capacidad de convertir los diferentes recursos en dinero. Así pues, todo activo empezará con partidas como efectivo y bancos, que es lo más líquido que tiene una empresa. Al final se encontrarán partidas como la maquinaria y edificios que no son fácilmente convertibles en dinero. Por su parte, el pasivo tendrá primero aquellas partidas que debemos pagar a menor plazo, y al final los préstamos de más largo plazo. Abajo del pasivo se coloca el capital ya que nunca se liquidará antes que el pasivo.

El activo se divide en dos grandes grupos: circulante y no circulante (largo plazo y fijo). El primero, el activo circulante, incluye todas las partidas que pueden ser, y serán convertidas en dinero, en un plazo menor a un año. El activo no circulante incluye el resto de las partidas.

En el caso del pasivo, también se divide en circulante y largo plazo. El primero incluye las deudas o compromisos de pago que hay que cumplir antes de un año. El segundo, el pasivo de largo plazo, incluye las deudas o compromisos de pago que no se liquidarán antes de un año.

Al balance general también se le conoce como el estado de posición financiera.

Veamos en detalle cada rubro del activo en el balance general.

### *Activo circulante*

*Activo disponible*: incluye la parte más líquida de la empresa, esto es, el efectivo que se tenga en caja, cuentas de bancos e inversiones temporales. Debe entenderse por inversiones temporales aquellos excedentes de dinero que se invierten en instrumentos que puedan ser convertidos en dinero en un plazo de 24 horas, por ejemplo, fondos de inversión de renta fija e instrumentos de mercado de dinero.

*Clientes o cuentas por cobrar*: incluye la venta que hemos realizado a un cliente y que no se ha cobrado. Una vez facturada la mercancía al cliente dejamos de tener propiedad sobre ésta. Sin embargo, tendremos entonces el derecho de cobro sobre esa factura. El día que cobremos esa factura, o bien si la venta fuese de contado, dejaremos de tener una cuenta por cobrar y tendríamos un activo disponible.

*Inventarios*: incluye aquel producto, materia prima y refacciones que tenemos en la empresa. Desde el momento en que adquirimos una materia prima, ésta se vuelve propiedad de la empresa. De esta manera iniciamos con un "inventario de materia prima". Posteriormente enviaremos esa materia prima para su proceso a la planta. En ese momento dejaremos de tener un "inventario de materia prima" para tener ahora un "inventario de producción en proceso". A este inventario se le dará valor agregado en la planta a través de los diversos procesos de conversión (mano de obra y gastos de fabricación) que nos darán finalmente un producto terminado que incluye en su valor no sólo la materia prima sino también los costos de conversión. De esta manera dejaremos de tener un "inventario de producción en proceso" en la planta para tener un "inventario de producto terminado" en el almacén.

En general si observamos las partidas del activo circulante podemos darnos cuenta de que se asemejan a la lógica natural de un proceso productivo (cuadro 3). En una empresa manufacturera típica se comienza por

CUADRO 3

El ciclo de producción y la información financiera

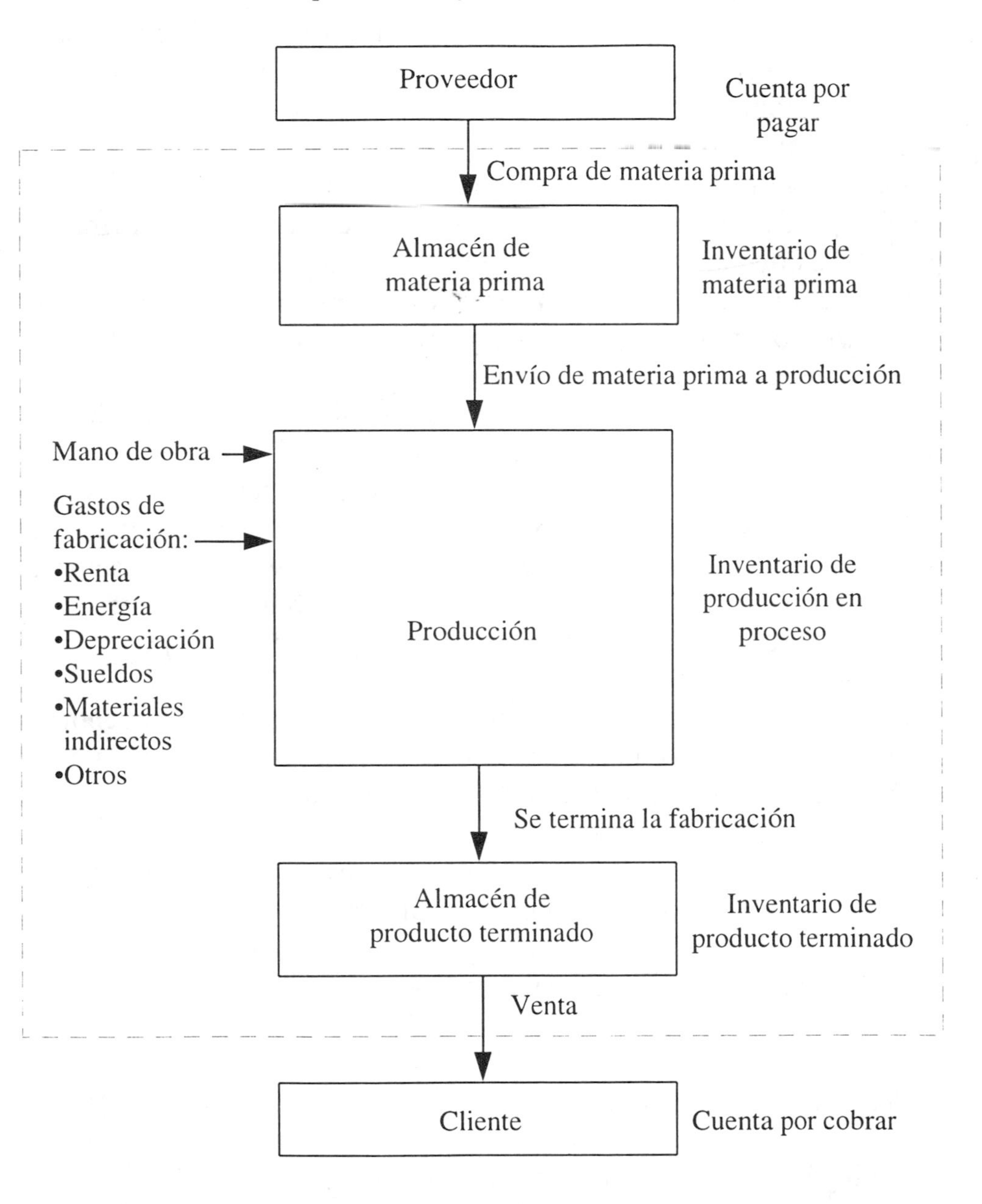

comprar materia prima, la cual se recibe y guarda en el almacén de materias primas, o almacén de materiales. Cuando el área de producción lo requiere, solicita materia prima al almacén para iniciar su proceso productivo. Es entonces cuando la materia prima se envía a producción.

Es aquí en la planta donde se contrata la mano de obra necesaria (obreros) y se incurre en gastos de fabricación como renta de la planta, energía, depreciación del equipo, sueldos de supervisores y gerentes, materiales indirectos, consumo de herramientas, etc. Todo esto, la mano de obra y los gastos de fabricación, son los que transformarán la materia prima, dándole un valor agregado. Durante este proceso productivo nos referimos a un inventario de producción en proceso, es decir, materia prima, mano de obra y gastos de fabricación que están en planta en proceso de conversión y que aún no son un producto terminado.

Al finalizar el proceso, el producto terminado se envía a su almacén respectivo en espera de ser enviado al cliente.

Cuando el cliente realiza la compra del producto terminado, éste sale del almacén y en ese momento la empresa registra la salida de la mercancía del inventario de producto terminado y registra la creación de una cuenta por cobrar. Es decir, al momento de la venta la empresa "pierde" una mercancía del inventario de producto terminado, pero "gana" una cuenta por cobrar.

Por último, esperamos que algún día el cliente pague esta cuenta por cobrar. Ese día, convertiremos la cuenta por cobrar en dinero, es decir, en parte del activo disponible. Y así, de nueva cuenta puede iniciarse el ciclo con la compra de materia prima.

Al activo circulante se le conoce como *capital de trabajo*, ya que son los recursos que tiene disponible la empresa para trabajar en la operación diaria del negocio. (Más adelante, en el capítulo V se hablará del concepto de capital de trabajo neto, el cual, aunque relacionado, no es lo mismo).

### *Activo de largo plazo*

Se incluyen en general aquellas partidas que pensamos realizar en dinero en un plazo mayor a un año. Por ejemplo, cuentas y documentos por cobrar que podremos realizar en un periodo mayor al año, inversiones en acciones de otras compañías o subsidiarias, y en general otras inversiones.

### *Activo fijo*

*Inmuebles, planta y equipo*: incluye las inversiones que tiene la empresa en bienes de capital y propiedades que ayudan a la producción del bien o servicio. Esto abarca inmuebles (terrenos y edificios), maquinaria y equipo, equipo de transporte, equipo de comunicación, obras de arte, etcétera. Cada empresa tendrá diferente activo fijo según su actividad.

Todo este activo, aunque en un momento dado pueda pensarse que pudiera realizarse, es decir, venderse, en un plazo menor a un año, también es claro que no es esta la intención. Se considera activo fijo ya que se piensa mantener en la empresa para apoyar la producción de bienes y servicios.

Por otro lado, pensemos que algunos conceptos de activo fijo que pudieran parecer obvios pueden no serlo para algunas empresas. Por ejemplo, en una empresa inmobiliaria que se dedique a la compra de terrenos y al desarrollo de conjuntos habitacionales, tanto los terrenos que compre como las edificaciones serán un inventario y no un activo fijo. En el caso de una empresa que se dedica a la compra y venta de automóviles, los vehículos serán también un inventario y no un activo fijo. Todo esto se debe a que en ninguno de los casos, el de la inmobiliaria y el de la empresa de compra y venta de automóviles, se adquieren los bienes con la intención de que apoyen la operación de la empresa. Son en sí los bienes objeto de la operación comercial de la empresa.

*Depreciación acumulada*: incluye el desgaste del activo fijo. Dado que el activo fijo que se adquiere tendrá un desgaste a través de los años, es necesario reconocer en cada periodo un gasto por este concepto. Es decir, si se adquiere una maquinaria, el monto que se pague por este activo fijo no puede decirse que es un costo, ya que se utilizará durante muchos años. Más bien se dice que su valor es una inversión. Posteriormente, cada año se reconocerá la pérdida de valor de esta máquina conforme se vaya desgastando, hasta que llegue un momento en que ya no tenga valor en libros. Este desgaste, llamado *depreciación*, se verá reflejado en el estado de resultados y como contrapartida se irá acumulando en este rubro de depreciación acumulada en el balance general.

Veamos claramente este concepto de depreciación en el ejemplo que se presenta en el cuadro 4. Supongamos que se compra un activo fijo el día de hoy (momento 0) en $100, y que se estima que su vida útil será de cinco años. Esto implica que la depreciación anual será de $20, lo que sería lo mismo que imaginar que estimamos que cada año el activo sufrirá un desgaste de $20. ¿Qué tan preciso es esto? Probablemente podríamos decir que bastante impreciso. Sin embargo, es la forma de estimación más práctica, y hasta cierto punto exacta, del desgaste del bien.

Dos puntos son importantes resaltar sobre la estimación de depreciación mencionada. Primero, no necesariamente el activo se va a desgastar exactamente en la misma proporción cada año, en este ejemplo, 20% o $20 al año. Basta imaginar el concepto de un automóvil nuevo, del

CUADRO 4
Depreciación de activo fijo

| *Año* | *(B/G) Valor histórico* | *(E/R) Depreciación del periodo* | *(B/G) Depreciación acumulada* | *(B/G) Valor neto* |
|---|---|---|---|---|
| 0 | $100 | | | $100 |
| 1 | $100 | $20 | $20 | $80 |
| 2 | $100 | $20 | $40 | $60 |
| 3 | $100 | $20 | $60 | $40 |
| 4 | $100 | $20 | $80 | $20 |
| 5 | $100 | $20 | $100 | $0 |

(B/G): Partida registrada en balance general.
(E/R): Partida registrada en estado de resultados.

Datos:

Valor de compra del activo fijo: $100.
Vida útil esperada: 5 años.
Tasa de depreciación anual: 20%.

cual sabemos que el primer año es cuando más valor pierde, por contra de los últimos años donde su pérdida de valor es baja.

En segundo lugar, no podemos asegurar que el activo "vivirá" exactamente cierto tiempo, en este ejemplo, cinco años. ¿Quién puede asegurarnos en este momento que el bien adquirido no sufrirá algún percance como un incendio que lo destruirá por completo antes del tiempo inicialmente estimado? ¿Quién puede asegurarnos que una innovación tecnológica no provocará que nuestro activo se vuelva obsoleto en un "abrir y cerrar de ojos" y que por lo tanto su valor se perderá también antes de transcurrido el tiempo de vida previsto originalmente?

A pesar de estas posibles inconvenientes, el concepto de depreciación nos refleja información para toma de decisiones, en el sentido de que nos da una idea cercana del posible valor real de un activo fijo, a partir de su posible desgaste real acumulado en el tiempo. No debemos buscar ver la depreciación como una verdad absoluta y exacta, sino solamente como una medición aproximada y relativa, que está basada en una serie de supuestos: un tiempo de vida determinado y un patrón, normalmente lineal, de desgaste cada año.

Como puede ver en las columnas de la derecha de nuestro ejemplo del cuadro 4, la depreciación del periodo se registra como parte de un gasto o costo en el estado de resultados, y se va acumulando en el activo fijo dentro del balance general como parte del desgaste propio e irreversible del bien.

Se conoce como valor neto al resultado de restar al valor original del activo fijo su depreciación acumulada. El activo fijo neto pretende darnos una idea del valor "real" del activo fijo conforme transcurre el tiempo. Por ejemplo, en el mismo caso del cuadro 4 podríamos decir que el activo fijo tendrá un valor de \$60 después de transcurridos dos años, o bien, que si hoy se comprara un activo fijo con dos años de uso su valor sería de \$60.

Debemos insistir que todos estos son valores que intentan acercarse a la realidad, son valores aproximados de lo que podría ser, pero no esperemos verdades absolutas sobre el valor del activo fijo.

*Actualización del activo fijo y actualización de la depreciación*: incluye el reconocimiento de la inflación en el activo fijo. Conforme transcurren los años, suponiendo que hay inflación, cada activo fijo aumentará su valor. De la misma manera, el desgaste o depreciación será mayor en términos monetarios, aunque en forma relativa sea lo mismo, por lo que es necesario actualizarla.

En el caso del cuadro 5 puede apreciar un ejemplo numérico de la actualización del activo fijo y de la depreciación acumulada. En forma sencilla podemos decir que es necesario actualizar con algún índice de precios, o con la opinión de un valuador, el valor del activo fijo para que refleje los efectos de la inflación. De la misma manera, se debe incrementar el valor de la depreciación acumulada en periodos anteriores para que siga reflejando la misma proporción sobre el valor actualizado del activo fijo del que era sin actualizarlo.

En este ejemplo numérico del cuadro 5 podemos imaginar que la inflación cada año será de 100%. De esta forma el activo después de un

CUADRO 5
Actualización del activo fijo

| *Año* | *(B/G) Valor histórico* | *(B/G) Depreciación acumulada* | *(B/G) Actualización activo fijo* | *(B/G) Actualización depreciación acumulada* | *(B/G) Activo fijo neto* |
|---|---|---|---|---|---|
| 0 | $100 | | | | $100 |
| 1 | $100 | $20 | $100 | $20 | $160 |
| 2 | $100 | $40 | $300 | $120 | $240 |
| 3 | $100 | $60 | $700 | $420 | $320 |
| 4 | $100 | $80 | $1,500 | $1,200 | $320 |
| 5 | $100 | $100 | $3,100 | $3,100 | $0 |

(B/G): Partida registrada en balance general.
(E/R): Partida registrada en estado de resultados.

Datos:
- Valor de compra del activo fijo: $100.
- Vida útil esperada: 5 años.
- Tasa de depreciación anual: 20%.
- Tasa de inflación anual: 100%.

año (de 0 a 1) valdría si fuera nuevo $200 ($100 originales más el 100% de incremento en el índice de precios). Al cabo de dos años, el valor del activo nuevo sería de $400 ($200 más 100%), y así sucesivamente. Como el valor histórico es $100, por eso en la actualización agregamos el monto necesario para llegar a $200 en el año 1 y para llegar a $400 en el año 2.

De la misma forma, se actualiza la depreciación, para que la suma de la depreciación acumulada sobre el valor histórico y la actualización de ésta nos arroje el 20% del valor actualizado del activo al cabo de un año, del 40% en el año 2, etcétera.

Con todo esto, a través de la actualización del activo fijo tendremos una idea aproximada del valor de éste en el tiempo. La actualización se vuelve muy importante cuando tenemos periodos de alta inflación en un país. Sin embargo, tampoco debemos interpretar la actualización como un dato exacto y preciso. Si se utiliza para la actualización un índice de precios determinado, estamos suponiendo que nuestro activo incrementó su valor en la misma proporción que lo hicieron los precios de la canasta de bienes que represente nuestro índice específico. Esto es muy poco probable, y mientras mayor sea la inflación, mayor debe esperarse el error.

Si por contra, utilizamos a un valuador independiente, debemos pensar que estamos tomando el criterio de un ser humano que, no sólo puede ser inexacto en su percepción, sino que además puede estar tratando de dar un valor a algo que probablemente ya no exista ni siquiera en el mercado. Sin embargo, no olvidemos que aunque a mayor inflación la actualización se vuelve más difícil de estimar, también es más importante llevarla a cabo si queremos contar con un valor más preciso sobre el valor de nuestro activo fijo. Sin este valor actualizado nuestra toma de decisiones será totalmente inexacta.

### *Activo diferido*

En este rubro se incluyen conceptos como pagos por anticipado. Esto es, reconocemos el derecho que se adquiere una vez realizado el pago.

Por ejemplo, pago de primas de seguro, pago por anticipado de tiempo televisión o radio para publicidad, etcétera.

Ahora veamos en detalle cada rubro del pasivo en el balance general.

*Pasivo circulante*

*Proveedores o cuentas por pagar*: incluye las deudas que adquirimos con un proveedor cuando recibimos su mercancía o servicio y queda pendiente su pago. Podemos decir que nuestras cuentas por pagar son cuentas por cobrar para nuestros proveedores. De la misma manera, nuestras cuentas por cobrar son cuentas por pagar de un cliente. La cuenta por cobrar nos indica que tenemos una deuda con el proveedor a cambio del bien o servicio que ya nos otorgó. Finalmente, el proveedor es una fuente de financiamiento más que puede tener la empresa.

Esta fuente de financiamiento puede ser muy barata, al menos aparentemente, pero también puede llegar a ser la más cara para la empresa. Financiarse con proveedores siempre tiene un costo, aunque éste sea difícil de percibir y cuantificar. Cuando dejamos de pagarle a un proveedor, o le pagamos de forma diferida en vez de hacerlo de contado o por anticipado, estaremos dejando de recibir por parte de él un mejor servicio o un mejor precio. Si dejamos de pagarle y el proveedor deja de enviarnos insumos para nuestro proceso productivo, financiarnos con proveedores puede llegar a ser la fuente más cara, ya que la falta del insumo puede parar la producción de nuestro negocio.

Así pues, aunque aparentemente el financiarse con proveedores es barato, debemos cuidar lo que estamos dejando de recibir de parte de ellos (descuentos y servicio) y anticiparnos a un posible alto costo si dejamos de pagarles (falta de insumos).

*Créditos bancarios y créditos no bancarios*: incluye préstamos que recibimos a un plazo menor a un año, ya sea de bancos o de instituciones no bancarias (bolsa de valores, casa matriz, etcétera).

*Impuestos por pagar*: incluye los impuestos en los que se ha incurrido y que no han sido enterados al fisco. Al final de cada mes, que es a la fecha a la que se presenta un balance general, ya se deben los diferentes impuestos (impuesto sobre la renta, impuesto al valor agregado, impuestos retenidos a empleados y otros). Sin embargo, estos impuestos no se enteran al fisco sino hasta el siguiente mes. De esta manera podemos decir que el fisco financia a la empresa a corto plazo.

*Otro pasivo circulante*: incluye otras deudas que se tengan a un plazo menor a un año. En este concepto podemos pensar, por ejemplo, en sueldos y salarios que ya se hayan devengado y no hayamos pagado, conceptos como aguinaldo y otros. También podríamos incluir en este rubro conceptos de gastos en que ya hayamos incurrido y no hayamos pagado, por ejemplo el caso de la renta de las instalaciones. Si han transcurrido dos meses sin que paguemos la renta entonces tenemos una deuda con nuestro casero, y ésta deberá ser registrada en el pasivo.

### *Porción circulante del pasivo de largo plazo*

En este rubro se incluyen aquellas deudas contraídas a un plazo mayor a un año (pasivo de largo plazo) que vencerá en el ejercicio actual, es decir, durante el año en curso. Aunque se trata de préstamos que por su plazo inicial son de largo plazo, es importante mostrar que su exigibilidad de pago será en el corto plazo.

### *Pasivo de largo plazo*

*Créditos bancarios y créditos no bancarios*: incluye las deudas tanto con bancos como con otras instituciones, a un plazo mayor a un año, tanto en moneda nacional como en moneda extranjera.

Finalmente veamos en detalle cada rubro del capital en el balance general:

### *Capital contable*

*Capital social*: incluye las aportaciones a valor nominal de los socios. Su valor nominal nos dice poco. Sin embargo, la distribución de estas aportaciones nos dice la cantidad de votos, o peso, que tiene cada accionista en la empresa.

*Prima sobre venta de acciones*: incluye el precio por encima del valor nominal que se pague en una nueva emisión de acciones.

*Aportaciones para futuros aumentos de capital*: incluye las aportaciones de socios que aún no han sido registrados como parte del capital social.

*Utilidades retenidas*: incluye las utilidades de años anteriores que no han sido repartidas en dividendos entre los socios. De allí su nombre de retenidas.

*Utilidad neta del ejercicio*: incluye la utilidad que se ha generado en el año en curso.

*Actualización del capital*: incluye el valor adicional que debería tener el capital social considerando los efectos de la inflación, para mantener la inversión de los accionistas en términos del poder adquisitivo que existía en las fechas en que se hicieron las aportaciones y en que las utilidades fueron retenidas.

*Exceso o insuficiencia en la actualización del capital*: incluye el valor en exceso o por debajo que tienen los activos que soportan la actualización del capital, es decir, nos muestra a qué grado la empresa ha logrado conservar el poder adquisitivo general de las aportaciones de los accionistas y de los resultados o utilidades retenidas en la empresa.

## El estado de resultados

*El estado de resultados nos presenta una medición de la eficiencia de la actividad de la empresa durante el año, así como un análisis de la generación de utilidades o riqueza para la empresa*. Para esto, en el estado de resultados se parte de mostrar las ventas realizadas durante el año y los recursos utilizados (costos y gastos) para realizar esta venta (véase cuadro 6).

Al estado de resultados también se le conoce como estado de pérdidas y ganancias.

Veamos por partes el detalle del estado de resultados:

CUADRO 6
Estado de resultados
del 1o. de enero al 31 de diciembre

Ventas
- Costo de ventas

**Utilidad bruta**

- Gastos de operación:
  - Gastos de venta
  - Gastos de administración

**Utilidad de operación**

- Costo integral de financiamiento:
  - Intereses a cargo
  - Intereses a favor
  - Pérdida cambiaria
  - Ganancia cambiaria
  - Resultado por posición monetaria

**Utilidad antes de impuestos**

- Impuesto sobre la renta
- Participación a los trabajadores de la utilidad

**Utilidad neta del ejercicio**

*Ventas netas*: incluye la venta realizada durante el periodo, una vez eliminados descuentos y devoluciones. Vale la pena aclarar que esta venta no es sinónimo de cobranza. El dato indicado en este rubro en el estado de resultados puede haber sido cobrado o no. Si no lo ha sido, ese monto no cobrado al final del periodo aparecerá en "clientes o cuentas por cobrar" en el balance general.

*Costo de ventas*: incluye el valor de los materiales, mano de obra y gastos de fabricación utilizados en la producción de la unidades vendidas. Su nombre completo es "costo de producción de unidades vendidas", que por facilidad se conoce como "costo de ventas". De esta manera es necesario conocer todos aquellos insumos y costos de conversión que requiere la producción de un bien, para posteriormente indicar en el estado de resultados solamente el costo de aquellos que se vendieron. Es decir, si se produjeron 100 unidades y sólo se vendieron 80, entonces el costo de ventas incluirá el costo de producción de 80 unidades y el costo de las 20 restantes aparecerá como "inventario de producto terminado" en el balance general.

Para entender un poco mejor el efecto del inventario en la determinación del costo de ventas, podemos analizar el esquema del "costo de producción y ventas" (véase cuadro 7). En él podemos observar que el costo de ventas, es decir, el costo de producción de las unidades vendidas, depende del "costo de producción de productos terminados", más el saldo inicial y menos el saldo final en el "inventario de producto terminado". A su vez, el "costo de producción de productos terminados" depende del "costo de producción del periodo", es decir todos los costos en los que se incurrió en la planta, más el saldo inicial y menos el saldo final en el "inventario de producción en proceso". El "costo de producción del periodo" incluye el costo del "consumo de materiales", el costo de la "mano de obra directa" y los "gastos de fabricación" del periodo. Por último, el "consumo de materiales" depende de la "compra de materias primas", más el saldo inicial y menos el saldo final del "inventario de materia prima".

Como podemos ver, el costo de ventas no es sinónimo de pagos o egresos. Para empezar, el costo de ventas (o consumo) y las compras no son iguales, ya que la diferencia entre ellos estará en los distintos inventarios. Por otro lado, las compras y los pagos no son iguales, ya que la diferencia entre ellos estará en "proveedores o cuentas por pagar".

*Utilidad bruta*: incluye la diferencia entre las "ventas netas" y el "costo de ventas". Nos indica la utilidad o riqueza que se ha generado por el proceso productivo. La utilidad bruta de una empresa puede ser mayor o menor dependiendo de tres variables: el precio de venta, el costo de producción y el volumen.

*Gastos de operación*: incluye los gastos del periodo de operaciones de apoyo, como son ventas y administración. Dado que no es posible relacionar los gastos de operación con las unidades producidas, éstos se presentan por el monto total incurrido en el periodo. Incluyen gastos de

CUADRO 7
La definición del costo de ventas

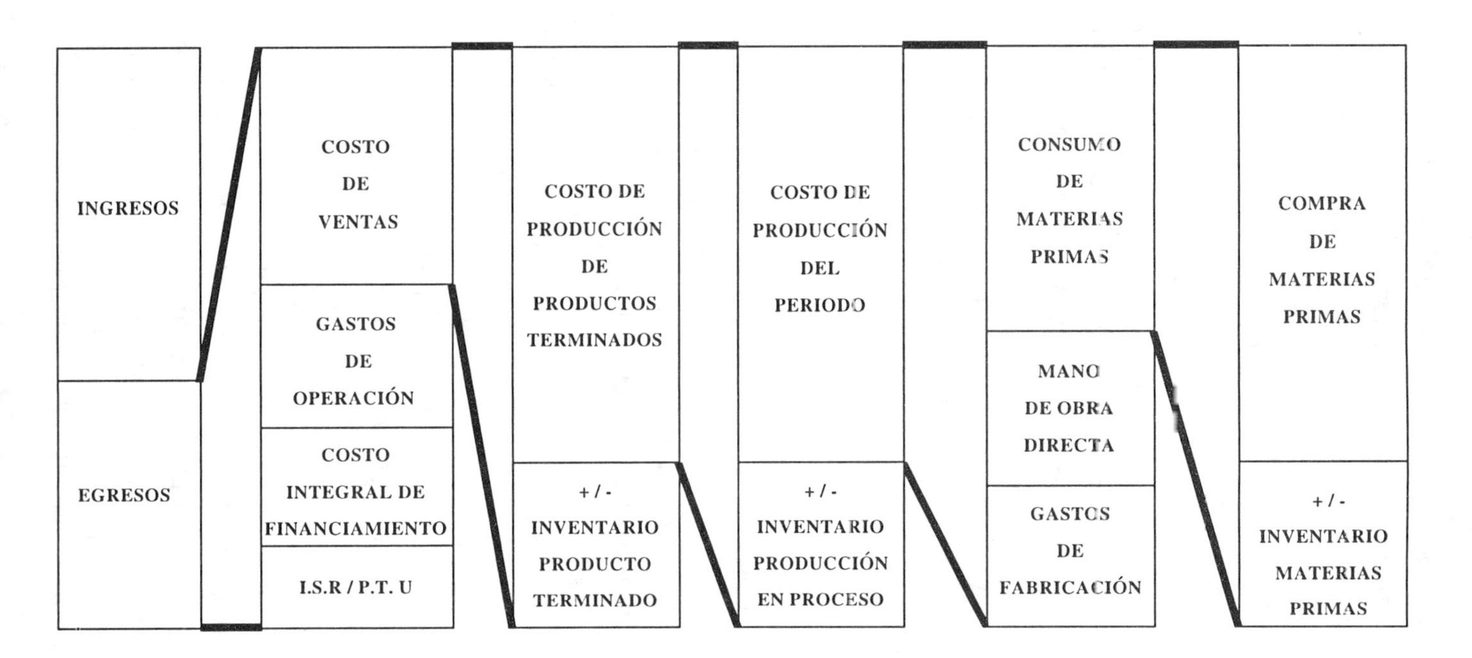

ventas, como son comisiones, publicidad, etcétera, y gastos de administración, como son dirección general, finanzas, jurídico, etcétera.

*Utilidad de operación*: incluye la diferencia entre la "utilidad bruta" y los "gastos de operación". La utilidad de operación es el resultado o riqueza generado en el periodo por la empresa, con base en su operación propia. Después de la "utilidad de operación" podremos ver otros rubros que dependen más del tesorero y del fiscalista que de la operación propia de la empresa. El tamaño de la "utilidad de operación" depende también de dos variables básicamente: el tamaño de la utilidad bruta y el tamaño de los gastos realizados por operaciones administrativas y de apoyo.

Podemos decir que en general los "gastos de operación" no debieran ser mayores a un cierto nivel del "costo de ventas". Si los primeros son muy altos podemos decir que se está gastando mucho en cuestiones administrativas en relación con el costo de producción. Podría decirse que el "costo de ventas", es decir, los costos en que se incurre en la producción, dan valor agregado. Los "gastos de operación" son simplemente un gasto necesario, pero no dan valor agregado. Mientras menores "gastos de operación" pueda mantener una empresa es mejor.

Los financieros son parte de los "gastos de operación". Esto implica, con base en lo expresado en el párrafo anterior, que no generan valor agregado. Esto es correcto, mas no implica que no sean necesarios. El financiero, y todas las áreas de apoyo como contabilidad, generan información para la toma de decisiones. Esta generación de información es necesaria y ninguna empresa podría vivir sin ella. Sin embargo, mientras menos finanzas pueda tener una empresa, es decir, mientras más simple pueda ser su operación financiera, será mejor. No olvidemos que lo que nos da riqueza es la generación de valor agregado, no los gastos.

Lo que nos da de comer es la producción y venta de bienes y servicios, no la administración de la operación.

*Costo integral de financiamiento*: incluye los gastos y beneficios financieros. Aquí se incluyen conceptos como los intereses a favor que recibe una empresa por la inversión de sus excedentes de tesorería, los intereses a cargo que una empresa paga por sus deudas, la pérdida cambiaria que puede tener una empresa si mantiene pasivos en moneda extranjera, la ganancia cambiaria que puede tener una empresa si mantiene algunos activos, como cuentas por cobrar, en moneda extranjera (y hay una depreciación de la moneda doméstica), y el resultado por posición monetaria que incluye el efecto de la inflación sobre las partidas monetarias.

Cuando hay inflación, los activos monetarios (activo disponible y cuentas por cobrar en moneda nacional) implican una pérdida monetaria por su pérdida de valor, ya que cuando se realice el activo monetario su valor real será menor. Por contra, los pasivos monetarios (pasivos en moneda nacional) implican una ganancia monetaria. El resultado de ambas es el resultado por posición monetaria, conocida como "repomo".

*Utilidad antes de ISR y PTU*: incluye la diferencia entre la "utilidad de operación" y el "costo integral de financiamiento".

*Impuesto sobre la renta*: incluye la provisión para el pago de impuestos. En el caso de México se paga el 34% sobre la utilidad fiscal, que no necesariamente es igual a la "utilidad antes de ISR y PTU".

*Participación a los trabajadores de la utilidad*: incluye la provisión para el pago de utilidades a los trabajadores. En el caso de México se paga el 10% sobre una base que de la misma forma no necesariamente es igual a la "utilidad antes de ISR y PTU".

*Utilidad neta del ejercicio*: incluye la diferencia entre la "utilidad antes de ISR y PTU" y las "provisiones de ISR y PTU". La utilidad neta es finalmente la riqueza total generada por la empresa en el periodo. Esta utilidad incrementa el "capital contable" del balance general. Vale la pena insistir en que la "utilidad neta" no es sinónimo de efectivo. La utilidad o riqueza generada puede encontrarse en otros rubros que no sea efectivo. Si una empresa tiene utilidad en el ejercicio, es seguro que es más rica. Sin embargo, no sabemos si esa riqueza está expresada en dinero o en algún otro bien.

## *El estado de cambios en la situación financiera*

*El estado de cambios en la situación financiera nos muestra cómo se modificaron los recursos y obligaciones de la empresa en el periodo, es decir, de dónde se obtuvieron recursos y en dónde fueron utilizados éstos.* El resultado de este estado financiero es el incremento neto en activo disponible, es decir, el flujo de efectivo del periodo.

El estado de cambios en la situación financiera nos ayuda a evaluar la capacidad de la empresa de generar recursos, por lo tanto, evaluar la capacidad de la empresa de cumplir con sus obligaciones, tanto con los accionistas como con acreedores externos. A su vez, debe permitir al tomador de decisiones anticiparse a los requerimientos futuros de financiamiento.

La empresa puede generar recursos a partir de la utilidad, pero también hay otras fuentes de recursos viables para la empresa, por ejemplo, la venta de un activo. Asimismo, hay diversos usos que se le pueden dar a los recursos. Toda esta información la busca proporcionar este estado financiero.

Veamos los principios del estado de cambios en la situación financiera.

### *Origen y aplicación de recursos*

Una empresa puede generar orígenes de recursos y aplicarlos de muchas formas (cuadro 8). El origen de recursos se puede clasificar en dos grandes tipos: operativos o no operativos. El único origen operativo de la empresa es la utilidad neta del ejercicio, es decir, la generación de riqueza del periodo. Sobre este origen operativo, la utilidad neta del ejercicio, debemos eliminar los cargos que no implicaron, ni implicarán desembolso de efectivo.

¿Por qué se hace esto? Bueno, al determinar la utilidad en el estado de resultados se procedió a restar algunos costos y gastos que no se pagaron ni se pagarán, por ejemplo, la depreciación. Por esto, es necesario sumarlos ahora para determinar el origen total de recursos.

Por ejemplo, supongamos que la utilidad de una empresa fue de $40 que es la resta de una venta de $100 menos $60 de costos y gastos. Supongamos que todas sus operaciones fueron de contado, y que dentro de los $60 de costos y gastos podemos encontrar que $15 son depreciación. Esto implica que su flujo de efectivo es de $55, ya que de los $100 que se cobraron por concepto de ventas, se pagaron $45 por concepto de

CUADRO 8
Origen y aplicación de recursos en la empresa

**ORIGEN DE RECURSOS:**

1. Utilidad neta del ejercicio
2. Cargos a resultados que no representaron desembolso de efectivo (depreciación, amortizaciones, actualizaciones del costo, resultados por posición monetaria)
3. Disminución de alguna partida del activo
4. Aumento de alguna partida del pasivo
5. Aportaciones de capital

**APLICACIÓN DE RECURSOS:**

1. Aumento de alguna partida del activo
2. Disminución de alguna partida del pasivo
3. Retiros de capital
4. Pagos de dividendos

costos y gastos ($15 de depreciación son un costo o gasto, pero no implican salida de dinero alguna, es decir, no se pagan ni se pagarán nunca). O visto de otra forma, a la utilidad de $40 debemos sumarle los $15 de depreciación que se habían restado, ya que sí son un gasto, pero no son una salida real de dinero.

Otros cargos a resultados que no implican desembolso de efectivo son, además de la depreciación, las amortizaciones de gastos efectuados por anticipado, la actualización del costo, y el resultado por posición monetaria.

Además de estos orígenes operativos, tenemos otros no operativos, como son la disminución de alguna partida del activo, el aumento de alguna partida del pasivo, y las aportaciones de capital. Por ejemplo, además de la utilidad, una empresa puede haber generado recursos si vendió alguna maquinaria, o algún terreno, o simplemente el inventario, es decir, si se dio una reducción del activo. También puede haber generado recursos si obtuvo algún crédito bancario, es decir, un aumento del pasivo, así como si los accionistas hicieron alguna aportación de capital para la empresa.

En todos estos casos, la empresa tendrá más recursos disponibles, aunque éstos no sean necesariamente operativos. Es importante comentar que el único origen de recursos sano en el largo plazo es la utilidad, ya que los no operativos tienen un límite. No se pueden vender indefinidamente los activos, ni estarse pidiendo constantemente y sin límite créditos y aportaciones a los accionistas.

Debe buscarse la mezcla adecuada entre los distintos orígenes de recursos para el momento y de acuerdo con los planes de la empresa, pero no olvidemos nunca que a la larga, si no hay utilidades no habrá recursos. En el corto plazo podemos evitar la falta de recursos aunque no haya utilidad, pero en el largo plazo esto no es posible.

De la misma forma hay varios usos o aplicaciones que se le pueden dar a los recursos generados por la empresa (véase cuadro 8). Básicamente son el contrario de los orígenes.

La aplicación de recursos puede darse por el aumento de alguna partida del activo, por la disminución de alguna partida del pasivo, por retiros de capital o por algún pago de dividendos. Es decir, los recursos generados se pueden usar para comprar activos fijos, para pagar alguna deuda con el banco o con proveedores, o finalmente para devolver a los accionistas una parte de su aportación inicial de capital o para pagarles un dividendo.

Como se puede apreciar, el concepto de origen y aplicación de recursos se da a partir de comparar dos balances generales. Para conocer el aumento o disminución de activo, pasivo y capital se requiere de dos balances generales en diversos momentos en el tiempo.

### *El estado de cambios en la situación financiera*

La estructura del estado de cambios en la situación financiera se presenta en el cuadro 9. A grandes rasgos se puede decir que se identifican tres

CUADRO 9
Estado de cambios en la situación financiera
del 1o. de enero al 31 de diciembre

**Utilidad neta del ejercicio**

+ Cargos a resultados que no representaron desembolsos de efectivo:
Depreciación
Amortizaciones
Actualización del costo
Resultado por posición monetaria

---

**Flujo generado del resultado neto del ejercicio** (1)

- Incremento en cuentas por cobrar
- Incremento en inventarios
+ Incremento en proveedores

---

**Flujo derivado de cambios en el capital de trabajo** (2)

---

**Recursos generados por la operación** (3) = (1) + (2)

Flujo derivado por financiamiento:
Financiamiento ajeno:
+ Incremento en pasivo de corto plazo
+ Incremento en pasivo de largo plazo
Financiamiento propio:
+ Aportaciones de capital
- Pago de dividendos

---

**Flujo derivado por financiamiento** (4)

Recursos generados en actividades de inversión:
- Adquisiciones de inmuebles, planta y equipo
- Otras actividades de carácter permanente

---

**Recursos generados en actividades de inversión** (5)

---

**Incremento neto en activo disponible** (3) + (4) + (5)

grandes clasificaciones en este estado financiero sobre la naturaleza de los orígenes y aplicaciones de recursos: de operación, de financiamiento y de inversión.

El estado de cambios en la situación financiera parte de la utilidad neta del ejercicio, como primer gran origen. A ésta se le suman los cargos a resultados que no representaron desembolso de efectivo, por la razón ya comentada anteriormente. La suma de ambos nos lleva al "flujo generado del resultado neto del ejercicio".

Si todas las operaciones en la empresa se dieran de contado, y no hubiera otros orígenes y aplicaciones por financiamiento y por inversión, el "flujo generado del resultado neto del ejercicio" sería el flujo de efectivo total de la empresa para el periodo. Sin embargo, difícilmente esto se observará en una empresa.

Para empezar, la operación no se da en su totalidad de contado. La venta se hace a crédito, se compra una cantidad de material distinta a la que se consume, y esta compra se hace también a crédito. Es decir, se tienen cambios en las cuentas por cobrar, en el inventario y en las cuentas por pagar.

Por esta razón, se resta el incremento en las cuentas por cobrar (que es una aplicación), se resta el incremento en el inventario (que es una aplicación), y se suma el incremento en proveedores (que es un origen). Los dos primeros implican un aumento en el activo, lo que es una aplicación de recursos, y el tercero es un aumento en el pasivo, lo que es un origen de recursos. La suma algebraica de estos tres conceptos nos da el "flujo derivado de cambios en el capital de trabajo".

Esta cifra, el "flujo derivado de cambios en el capital de trabajo", nos muestra la cantidad de recursos que se utilizaron para financiar la operación de la empresa, o bien, la cantidad de recursos que se obtuvieron por dejar de financiar la operación. Si se vende a crédito una cantidad superior a la del periodo anterior, y/o se incrementa el monto de las existencias en el inventario, podemos decir que estamos utilizando recursos (dinero) para financiar la operación. No implica esto un costo, ya que no se está perdiendo nada. Sólo es una inversión de recursos en ciertos rubros. En determinado momento podría la empresa vender su inventario o cobrar su cartera y recuperar los recursos invertidos o aplicados.

La suma del "flujo generado del resultado neto del ejercicio" y del "flujo derivado de cambios en el capital de trabajo" nos arroja lo que conocemos como los "recursos generados por la operación". Este renglón nos indica la cantidad de recursos propios de la operación que se están obteniendo. Este concepto es importante cuidarlo en el mediano y largo plazo, ya que nos indica los recursos que se están generando por la operación propia de la empresa, y no por fuentes ajenas a esto.

Si el resultado de "recursos generados por la operación" es negativo, nos estaría indicando que nuestra operación productiva no genera el suficiente efectivo para mantenerse por sí sola, requiriendo de otras fuentes externas a la operación. Por contra, si los "recursos generados por la operación" son altos comparados con el saldo final en el incremento en el activo disponible, quiere decir que una parte de los recursos que se obtuvieron de la operación se utilizaron para pago de financiamientos o para inversiones.

Como se puede ver en el esquema del cuadro 9, una vez obtenidos los "recursos generados por la operación" en el estado de cambios en la situación financiera, se le sumarán el "flujo derivado por financiamiento" y los "recursos generados en actividades de inversión". El primero, el "flujo derivado por financiamiento" se compone del financiamiento ajeno, es decir, del aumento y disminución de partidas del pasivo, por ejemplo, créditos bancarios recibidos (como origen) o amortizados (como aplicación), y del financiamiento propio, es decir, de aportaciones de accionistas y del pago de dividendos. Por su parte, los "recursos generados en actividades de inversión" se compone de los recursos utilizados para la adquisición de inmuebles, planta y equipo, y de otras actividades de carácter permanente.

Así finalmente, la suma de los "recursos generados por la operación", más el "flujo derivado por financiamiento", más los "recursos generados en actividades de inversión" nos darán el incremento neto en activo disponible, o el flujo de efectivo neto en el periodo.

Como se dijo anteriormente, el estado de cambios en la situación financiera nos ayuda a identificar de dónde se obtuvieron recursos para la empresa y en qué se utilizaron. Más específicamente se analizan los orígenes y aplicaciones relacionados con la operación, el financiamiento y la inversión. Lo importante para el ejecutivo de la corporación es cuidar la sana relación y causalidad entre orígenes y aplicaciones. ¿Son los orígenes los adecuados? ¿Son sanos? ¿Las aplicaciones se están financiando con los orígenes correctos? ¿Qué beneficio se espera de la aplicación y por qué se están llevando a cabo?

## *El flujo de efectivo*

El estado de cambios en la situación financiera nos muestra los cambios netos en las obligaciones de la empresa, en los recursos y la estructura financiera, en un periodo de tiempo. Sin embargo, no muestra los movimiento totales de dinero tanto de entrada como de salida para la empresa. Esta información la podemos ver en el flujo de efectivo.

El flujo de efectivo presenta el ingreso y el egreso total que tiene la empresa, es decir, el movimiento total de dinero. Por ejemplo, en el estado de cambios en la situación financiera se presenta el incremento en cuentas por cobrar, es decir, cuánto más o menos se dejó de cobrar con respecto al periodo anterior. En el flujo de efectivo se presenta el monto total de cobranza del periodo.

Sin embargo, el resultado final del flujo de efectivo es, al igual que en el estado de cambios en la situación financiera, el flujo de efectivo neto de la empresa por el periodo.

En el cuadro 10 se presenta un esquema general del flujo de efectivo. Se divide en ingresos y egresos operativos, y en ingresos y egresos no operativos.

El ingreso operativo es básicamente la cobranza. ¿Qué relación hay entre la cobranza y las ventas? En el cuadro 11 se muestra esta relación. La cobranza es igual a la venta del periodo más el saldo en cuentas por cobrar al inicio del periodo menos el saldo al final del periodo. Visto de otra forma, la cobranza es igual a la venta del periodo menos el incremento en el saldo de cuentas por cobrar.

El egreso operativo está compuesto de varios conceptos. Para empezar se incluye el pago de compras. De la misma forma, ¿qué relación hay entre el costo de ventas o el consumo y el pago de compras?

CUADRO 10
Flujo de efectivo
del 1o. de enero al 31 de diciembre

**+ Ingresos de la operación:**
Cobranza
Cobro de intereses

**- Egresos de la operación:**
Pago de compras
Pago de nómina y salarios
Gastos desembolsables:
de fabricación
de administración
de ventas
Pago de intereses
Pago de impuestos

---

**Flujo operativo neto** (1)

**+ Ingresos no operativos:**
Venta de activos
Créditos recibidos
Aportaciones de capital

**- Egresos no operativos:**
Compra de activos
Amortización de créditos
Retiros de capital
Pagos de dividendos

---

**Flujo no operativo** (2)

---

**Incremento neto en activo disponible** (1) + (2)

CUADRO 11

| CÁLCULO DE INGRESOS POR COBRANZA |
| --- |
| Ventas del periodo |
| + Saldo en cuentas por cobrar al inicio del periodo |
| - Saldo en cuentas por cobrar al final del periodo |
| **= Cobranza en el periodo** |

En el cuadro 12 se muestra esta relación. El costo de ventas (sin depreciación) o el consumo del periodo, menos el saldo en inventario al inicio del periodo, más el saldo al final, nos indica las compras. A su vez, las compras en el periodo, más el saldo en cuentas por pagar o proveedores al inicio del periodo, menos el saldo al final, nos indica los pagos efectuados en el periodo por concepto de compras.

CUADRO 12

| CÁLCULO DE EGRESOS POR PAGOS |
| --- |
| Costo de ventas del periodo (sin depreciación) o consumos del periodo |
| - Saldo en inventario al inicio del periodo |
| + Saldo en inventario al final del periodo |
| **= Compras en el periodo** |
| + Saldo en cuentas por pagar al inicio del periodo |
| - Saldo en cuentas por pagar al final del periodo |
| **= Pagos por compras en el periodo** |

Otros egresos operativos son los pagos de nómina y salarios, los gastos desembolsables (la depreciación es un gasto no desembolsable), los pagos de intereses y los de impuestos. Como se puede ver, se habla básicamente de movimientos de dinero, es decir, de pagos reales.

La resta entre el ingreso operativo y el egreso operativo es el "flujo operativo neto". Este flujo de efectivo es el generado por la operación propia de la empresa. Es el equivalente a los "recursos generados por la operación" del estado de cambios en la situación financiera.

Por otro lado, la resta de los ingresos no operativos (venta de activos, créditos recibidos y aportaciones de capital) y los egresos no operativos (compra de activos, amortización de créditos, retiros de capital y pagos de dividendos) nos dará el "flujo no operativo". La suma del "flujo operativo neto" y del "flujo no operativo" dará el incremento neto en activo disponible o flujo de efectivo neto, que debiera ser igual al resultado del estado de cambios en la situación financiera.

El flujo de efectivo de la corporación sólo presenta entradas y salidas de dinero. Es un esquema básico en cualquier negocio, ya que debe coincidir perfectamente con los movimientos de entrada y salida de dinero en la contabilidad, debe coincidir perfectamente con las fichas de depósito y cheques que se elaboraron, debe coincidir perfectamente con el estado de cuenta del banco y nuestros saldos en caja. El flujo de efectivo refleja el movimiento de dinero en el bolsillo de cualquier empresario.

Sin embargo, a pesar de que el flujo de efectivo es algo elemental en cualquier negocio, simplemente como control del dinero que se tiene, no esperemos que dé toda la información. Por ejemplo, a diferencia de un estado de resultados, el flujo de efectivo en ningún momento puede decir si la operación de la empresa fue eficiente o no. Se pudo haber pagado mucho por materias primas, pero no sabemos si éstas están en el inventario o tuvieron que ser utilizadas para el proceso productivo. Esta discriminación sí la lleva a cabo el estado de resultados. El flujo de efectivo dice cuánto dinero tiene, o cuánto le hace falta a la empresa, pero no indica si se generó riqueza (utilidad) o no. La empresa puede tener dinero, pero no necesariamente por su actividad propia. La aportación de socios y los créditos bancarios son flujos positivos de dinero para la empresa, pero no son generación de riqueza (utilidad).

## *Leyendo y entendiendo los estados financieros*

Así pues, cada estado financiero debe ser leído y entendido correctamente. Cada uno da información valiosa pero limitada. Si no los relacionamos correctamente, si sólo manejamos un estado financiero, si no los interpretamos correctamente, lo más seguro es que nuestra toma de decisiones se vea limitada. Los estados financieros sólo son una síntesis numérica, y limitada, de lo que es un negocio. Sin embargo, es lo mejor que tenemos y debemos utilizarlos de la mejor manera para apoyar nuestras decisiones de negocios.

Tratemos de leer y entender un grupo de estados financieros hipotéticos. En el cuadro 13 se tiene el balance general, al 31 de diciembre,

CUADRO 13
Ejemplo hipotético de estados financieros

Balance general
al 31 de diciembre

| | *Año 0* | *Año 1* | *Año 2* |
|---|---|---|---|
| Activo disponible | 300 | 150 | 310 |
| Cuentas por cobrar | 800 | 1,200 | 900 |
| Inventario | 700 | 800 | 1,100 |
| Activo circulante | 1,800 | 2,150 | 2,310 |
| Activo fijo bruto | 2,200 | 2,500 | 2,600 |
| Depreciación acumulada | (400) | (750) | (1,100) |
| Activo fijo neto | 1,800 | 1,750 | 1,500 |
| Activo total | 3,600 | 3,900 | 3,810 |
| Proveedores | 600 | 500 | 700 |
| Pasivo bancario | 1,200 | 900 | 1,100 |
| Pasivo total | 1,800 | 1,400 | 1,800 |
| Capital social | 1,000 | 1,400 | 1,300 |
| Utilidades retenidas | 600 | 800 | 650 |
| Utilidades del ejercicio | 200 | 300 | 60 |
| Capital contable | 1,800 | 2,500 | 2,010 |
| Suma pasivo + capital | 3,600 | 3,900 | 3,810 |

de tres años. En el cuadro 14 se tiene el estado de resultados, del 1o. de enero al 31 de diciembre, de dos años. En el cuadro 15 se tienen los orígenes y aplicación de estos dos años. En el cuadro 16 se tiene el estado de cambios de la situación financiera, del 1o. de enero al 31 de diciembre, de estos dos años. Y por último, en el cuadro 17 se tiene el flujo de efectivo, del 1o. de enero al 31 de diciembre, de los dos años.

El balance general (cuadro 13) muestra los saldos a una fecha determinada, en este caso el 31 de diciembre. De esta forma se puede tener información sobre los recursos que se tenían en cada partida del activo. Cuánto dinero se tiene líquido al 31 de diciembre (activo disponible), cuánto es el saldo que nos deben los clientes (cuentas por cobrar), cuánto se tiene en mercancías y materiales en el almacén (inventario), a cuánto ascienden nuestras inversiones a valor histórico en inmuebles, maquinaria y equipo (activo fijo bruto), y cuánto es el desgaste acumulado de este activo fijo (depreciación acumulada).

Por otro lado, el pasivo y el capital muestran los compromisos o deudas a esta misma fecha. Cuánto dinero se debe a los proveedores al 31 de

CUADRO 14
Ejemplo hipotético de estados financieros

Estado de resultados
del 1o. de enero al 31 de diciembre

| | *Año 1* | *Año 2* |
|---|---|---|
| Ventas | 8,850 | 8,150 |
| Costo de ventas (sin depreciación) | 6,200 | 5,800 |
| Depreciación | 350 | 350 |
| Utilidad bruta | 2,300 | 2,000 |
| Gastos de operación | 1,800 | 1,900 |
| Utilidad de operación | 500 | 100 |
| Impuestos | 200 | 40 |
| Utilidad neta del ejercicio | 300 | 60 |

CUADRO 15
Ejemplo hipotético de estados financieros

Origen y aplicación de recursos
del 1o. de enero al 31 de diciembre

| *Año 1* | *Origen* | *Aplicación* |
|---|---|---|
| Activo disponible | 150 | |
| Cuentas por cobrar | | 400 |
| Inventario | | 100 |
| Activo fijo bruto | | 300 |
| Depreciación acumulada | 350 | |
| Proveedores | | 100 |
| Pasivo bancario | | 300 |
| Capital social | 400 | |
| Utilidades retenidas: | | |
| Dividendos | | 0 |
| Utilidad neta del ejercicio | 300 | |
| Suma | 1,200 | 1,200 |

| *Año 2* | *Origen* | *Aplicación* |
|---|---|---|
| Activo disponible | | 160 |
| Cuentas por cobrar | 300 | |
| Inventario | | 300 |
| Activo fijo bruto | | 100 |
| Depreciación acumulada | 350 | |
| Proveedores | 200 | |
| Pasivo bancario | 200 | |
| Capital social | | 100 |
| Utilidades retenidas: | | |
| Dividendos | | 450 |
| Utilidad neta del ejercicio | 60 | |
| Suma | 1,110 | 1,110 |

CUADRO 16
Ejemplo hipotético de estados financieros

Estado de cambios en la situación financiera
del 1o. de enero al 31 de diciembre

| | *Año 1* | *Año2* |
|---|---|---|
| Utilidad neta del ejercicio | 300 | 60 |
| + Deprcciación del ejercicio | 350 | 350 |
| Flujo generado del resultado neto | 650 | 410 |
| - Incremento en cuentas por cobrar | 400 | (300) |
| - Incremento en inventarios | 100 | 300 |
| + Incremento en proveedores | (100) | 200 |
| Flujo derivado de cambios en el capital de trabajo | (600) | 200 |
| Recursos generados por la operación | 50 | 610 |
| + Incremento en pasivo bancario | (300) | 200 |
| + Aportaciones de capital | 400 | (100) |
| - Pagos de dividendos | | 450 |
| Flujo derivado por financiamiento | 100 | (350) |
| - Adquisición de activo fijo | 300 | 100 |
| Recursos por actividades de inversión | (300) | (100) |
| Incremento neto en activo disponible | (150) | 160 |
| + Saldo inicial en activo disponible | 300 | 150 |
| Saldo final en activo disponible | 150 | 310 |

diciembre por compras de bienes y servicios que no se les han pagado aún (proveedores), cuánto se debe a bancos por créditos recibidos y no pagados (pasivo bancario). Por otro lado, en el capital contable se puede apreciar el saldo de las aportaciones de los socios (capital social), las utilidades de años anteriores que no se han repartido en dividendos (utilidades retenidas) y la utilidad del año que está terminando (utilidad del ejercicio). La suma del activo es, y debe ser necesariamente y en todo momento, igual a la suma del pasivo y el capital.

CUADRO 17
Ejemplo hipotético de estados financieros

Flujo de efectivo
del 1o. de enero al 31 de diciembre

| | *Año 1* | *Año 2* |
|---|---|---|
| Ingresos de la operación: | | |
| Cobranza | 8,450 | 8,450 |
| Egresos de la operación: | | |
| Pago de compras | 6,400 | 5,900 |
| Gastos de operación | 1,800 | 1,900 |
| Pago de impuestos | 200 | 40 |
| Egresos de la operación | 8,400 | 7,840 |
| Flujo operativo neto | 50 | 610 |
| Ingresos no operativos: | | |
| Créditos bancarios recibidos | | 200 |
| Aportaciones de capital | 400 | |
| Ingresos no operativos | 400 | 200 |
| Egresos no operativos: | | |
| Compra de activo fijo | 300 | 100 |
| Amortización de créditos | 300 | |
| Retiros de capital | | 100 |
| Pago de dividendos | | 450 |
| Egresos no operativos | 600 | 650 |
| Flujo no operativo neto | (200) | (450) |
| Flujo de efectivo neto | (150) | 160 |
| + Saldo inicial en activo disponible | 300 | 150 |
| Saldo final en activo disponible | 150 | 310 |

El estado de resultados (cuadro 14) presenta la información de lo que ocurrió durante el año. Se parte de las ventas realizadas en el año. Recordemos que estas ventas pueden haber sido de contado o a crédito. A éstas se les resta el costo de venta, es decir, el costo de producción de las mercancías que se vendieron en ese año, y la depreciación del periodo.

No olvidemos que algo importante en un estado de resultados es que permite comparar "manzanas con manzanas". Las ventas corresponden a un cierto número de unidades vendidas, y el costo lo es para ese mismo número de unidades. Si las ventas se cobraron o no, eso se verá reflejado en el balance general en cuentas por cobrar. Por su lado, si se compró o fabricó más o menos mercancía de la que se vendió, esto se verá reflejado también en el balance general en los cambios en el inventario. Por último, si estas compras de materiales o mercancías se dieron de contado o a crédito, esto se verá reflejado en proveedores en el pasivo del balance general.

A la utilidad bruta, que es la resta de las ventas menos el costo de ventas menos la depreciación, se le restan los gastos de operación para llegar a la utilidad de operación. Los gastos de operación son gastos de administración y ventas, y corresponden a un gasto efectuado en el periodo. No hay en este caso una relación con el volumen de ventas. La utilidad de operación es la riqueza generada por la operación propia de la empresa.

Por último, en este ejemplo hipotético, se restan los impuestos para llegar a la utilidad neta del ejercicio. Este último renglón del estado de resultados es la riqueza que generó la empresa en el año, mas no implica que se tenga ésta en dinero o recursos líquidos. Si hay utilidad se es más rico, pero no necesariamente se tiene esa riqueza en dinero (se puede tener en bienes o en menores deudas).

Si comenzamos por relacionar el balance general y el estado de resultados podemos apreciar algunas situaciones que deben darse. La depreciación acumulada en el balance general es la depreciación acumulada del año anterior menos la depreciación de este año que se muestra en el estado de resultados. Es decir, se reconoce que ha habido un desgaste de los activos fijos durante el año, y por lo tanto se le considera un gasto del periodo que debe ser cubierto con las ventas del año. La depreciación acumulada es el desgaste total acumulado que se tiene por toda la vida de estos bienes (activos fijos).

Por otro lado, la utilidad neta del ejercicio presentada en el estado de resultados, que es la riqueza generada en el periodo, se ve reflejada a su vez en el capital contable en el balance general como utilidad del ejercicio. Es decir, la riqueza generada y estimada en el estado de resultados viene a incrementar el patrimonio de los accionistas, o sea, el capital contable.

Vale la pena mencionar que los estados financieros que se presentan en la empresa no necesariamente separan, en el capital contable del balance general, las utilidades retenidas de la utilidad del ejercicio. Puede ser que se presenten como un solo concepto englobado, como utilidades retenidas. No es más que un problema de detalle de la información.

Por otro lado, es poco probable que se encuentre separada la depreciación del ejercicio del costo de ventas en el estado de resultados. Normalmente la depreciación se incluye dentro del costos de ventas, cuando se trata de depreciaciones de activos relacionados con la producción, o en gastos de operación, cuando se trata de depreciaciones de activos relacionados con las áreas administrativas o de ventas.

En el cuadro 15 se tiene la clasificación de orígenes y aplicaciones para estos dos años. Para llegar a determinar esto se restan los saldos del balance general final menos el inicial. Si alguna partida del activo aumentó, entonces se dice que tuvimos una aplicación de recursos. Por contra, si se decrementó, entonces diremos que se tuvo un origen de recursos. En el caso de las partidas en el pasivo y el capital es lo contrario. El incremento en un partida del pasivo o del capital se considera un origen, siendo un decremento una aplicación de recursos. La utilidad del periodo es considerada un origen de recursos.

Una vez más, con esta clasificación ya se puede distinguir de dónde se obtuvieron recursos para financiar la actividad de la empresa (orígenes) y dónde se utilizaron éstos, es decir, qué inversiones se llevaron a cabo (aplicaciones). La pregunta siempre será, ¿son los orígenes de los recursos adecuados y son los usos correctos?

En el cuadro 16 se tiene el estado de cambios en la situación financiera que corresponde a estos balances generales y estados de resultados. Asimismo, el estado de cambio en la situación financiera no es más que la organización lógica y clara de los orígenes y aplicaciones de recursos que se determinaron en el cuadro 15. Así se puede ver, en el año 1, que la empresa generó un flujo de efectivo negativo de $150 (incremento neto en activo disponible). Éste a su vez se puede apreciar que se dio por una generación de recursos de la operación de $50, un flujo derivado de financiamiento por $100, pero una utilización de recursos en actividades de inversión por $300.

A su vez, los flujos derivados de financiamiento por $100 se deben a que, a pesar de haber pagado al banco $300, se obtuvo una aportación de los accionistas por $400. Por su lado, la operación sólo generó recursos por $50 a pesar de que el flujo generado del resultado neto fue de $650. Esto se debió a que se utilizaron $400 para financiar a clientes, $100 para incrementar las existencias en inventario, y $100 para reducir la deuda con proveedores.

Y una vez más, la pregunta a contestar en cualquier situación real es ¿son los orígenes de recursos los adecuados y son los usos los correctos? ¿Es correcto el flujo que se generó por la operación, por financiamiento y por actividades de inversión?

Por último, en el cuadro 17 se tiene el flujo de efectivo. Aquí se muestran los ingresos de la operación, en este caso la cobranza total en el año, y los egresos de la operación, en este caso compras, gastos e impuestos. Asimismo, se señalan los ingresos y los egresos no operativos. Finalmente, se tiene el flujo de efectivo neto del periodo o incremento neto en activo disponible.

Es importante que se entiendan los números que se presentan en los estados financieros. Esto es una responsabilidad, no sólo del ejecutivo financiero, sino del ejecutivo de cualquier área de la corporación, de cualquier hombre o mujer de negocios que quiera tener siquiera un mínimo entendimiento de lo que ocurre en su empresa. La lectura y entendimiento de los estados financieros tiene mucho que ver con la práctica. Después de una explicación básica de lo que es cada concepto, la práctica le dará la facilidad para leerlos rápidamente y entenderlos a profundidad.

# 3. Análisis gerencial de los estados financieros

Una vez leídos y entendidos los estados financieros es necesario proceder a su análisis. De los estados financieros debe obtenerse la información necesaria para apoyar la toma de decisiones. Para esto, deben hacerse las preguntas correctas para obtener las respuestas adecuadas.

Es cierto que los estados financieros no nos darán toda la información necesaria para la toma de decisiones en la empresa. *Un negocio es demasiado complejo como para pensar que se puede resumir en unos cuantos estados financieros. Sin embargo, éstos son una base objetiva que bien vale la pena tomar como punto de partida para un análisis integral.*

No debemos olvidar dos grandes limitantes, si así se les puede llamar, que tienen los estados financieros. Por un lado, sólo presentan información histórica, no expectativas futuras. Podemos inferir muchas cosas de los estados financieros históricos, pero no buscan, como tal, cuantificar lo que se espera en el entorno y en el desarrollo futuro del negocio.

Por otro lado, los estados financieros sólo pueden representar aquellos sucesos o estados que son cuantificables en unidades monetarias. Muchas ventajas no cuantificables monetariamente en un negocio no se reflejan en un estado financiero, aunque se esperaría que a la larga estas ventajas se vieran convertidas en utilidades. Algunas de estas ventajas pueden ser, por ejemplo, lo relacionado con los recursos humanos de la empresa.

Analicemos algunos de los aspectos más importantes que deben tomarse en cuenta durante un análisis e interpretación gerencial de los estados financieros.

## *El balance general*

En el cuadro 1 se presentan algunas de las preguntas fundamentales que debemos hacernos cuando tenemos frente a nosotros un balance general.

La primera pregunta, la pregunta fundamental, es *¿qué se tiene y qué se debe?* Para que una empresa sea negocio debe cumplir algunos principios elementales. En el caso del balance general, *para que sea negocio, una empresa debe lograr que sus activos produzcan un rendimiento mayor que el costo de sus fuentes de financiamiento (pasivo y capital).* Para poder conocer esto, el primer paso que debe darse es saber en qué se tienen invertidos los recursos (activo) y con qué se están financiados. Más concretamente, un ejecutivo de empresa, un hombre o mujer de negocios, debe ser capaz de justificar el beneficio que le da cada peso que tiene invertido en el activo.

*Si una inversión en activos no da un beneficio claro, o no se espera que lo vaya a dar en el futuro, o simplemente no da o dará un beneficio mayor al costo de las fuentes de financiamiento, simplemente no debe tenerse.*

*¿Cuál es el beneficio que se tiene por los excedentes en tesorería, es decir, por la inversión en activo disponible?* Normalmente los excedentes en tesorería no darán un rendimiento mayor al costo de las fuentes de financiamiento, por razones obvias. Si esto fuera así, simplemente pediríamos dinero prestado al banco para invertir en la tesorería de la empresa y tendríamos un beneficio. Sin embargo, los excedentes en tesorería, en activo disponible, no deben estar ociosos y si producir un beneficio atractivo con respecto al mercado. Es decir, nuestro análisis debe ir enfocado a cuestionar las políticas de inversión que tiene la empresa para esos excedentes, y el rendimiento que se obtuvo en el año.

CUADRO 1

## EN RESUMEN, QUÉ DEBEMOS PREGUNTARNOS SOBRE LA INFORMACIÓN DEL BALANCE GENERAL

- ¿Qué se tiene y qué se debe?
- ¿Inversiones a corto y largo plazo?
- ¿Compromisos de pago a corto y largo plazo?
- ¿Cuál es el beneficio por peso invertido en los distintos conceptos del activo? ¿Qué beneficio se tiene por los excedentes de tesorería? ¿Qué beneficio se obtiene por financiar a los clientes? ¿Qué beneficio se obtiene por mantener inventarios? ¿Qué beneficio genera la inversión en activos fijos?
- ¿Cuál es el beneficio total de la inversión en activo?
- ¿Cuánto cuesta cada fuente de financiamiento en el pasivo?
- ¿Cuánto cuesta el financiamiento a través del capital contable, es decir, los recursos de los accionistas?
- ¿Cuál es el costo de capital promedio ponderado?
- ¿Es mayor el beneficio por el rendimiento de la inversión en activos que el costo de las fuentes de financiamiento (costo de capital)?
- ¿Es negocio esta empresa?

*¿Qué beneficio se tiene por financiar a clientes?* Cada peso que se invierta en financiar a clientes, es decir, dar crédito en las ventas, debe dar un beneficio tangible. Si se vende a crédito es porque se espera vender más. Si sólo se vende a crédito por costumbre, o porque así lo hace la competencia, o porque así lo pide el cliente, entonces no se está manejando el negocio; lo están manejando a uno. Un buen ejercicio para los ejecutivos de finanzas y los de mercadotecnia es juntarse para desarrollar algún modelo de análisis que les permita identificar y justificar la venta a crédito. Una vez más, si el beneficio no existe, o no es mayor al costo de las fuentes de financiamiento, entonces no se está haciendo negocio.

*¿Qué beneficio se obtiene por mantener inventarios?* De la misma manera, si se tiene inventario es porque se espera un beneficio de esta inversión. ¿Qué ahorros se obtuvieron por volúmenes mayores de compras que nos provocaron mayor inventario? ¿Qué beneficio se logró en producción por tener esos niveles de inventario de materia prima o de producción en proceso? ¿Qué beneficio se obtuvo por los altos niveles de inventario de producto terminado que nos permitieron dar un mejor servicio al cliente? Aquí, el ejercicio entre los ejecutivos de finanzas y de producción puede ser bueno para definir niveles adecuados de inventario.

*¿Qué beneficio genera la inversión en activos fijos?* Si se tienen máquinas, si se tiene un edificio, si se tienen automóviles, si se tienen obras de arte, si se tiene cualquier tipo de activo fijo, su beneficio, su rendimiento, su contribución al negocio debe ser clara y cuantificable. ¿No sería mejor vender el activo y rentarlo? En un momento dado, ¿por qué se tienen recursos invertidos en un activo fijo que no ayuda a la generación de utilidades para la empresa?

Y por lo tanto, *¿qué beneficio genera la inversión en activo?* Con el beneficio identificado, justificado y cuantificado de cada parte del activo (activo disponible, cuentas por cobrar, inventario y activo fijo) se puede obtener un rendimiento total a través de un promedio ponderado de cada uno de ellos. ¿Es este beneficio lo suficientemente alto para decir que la empresa es negocio? Puede ser que no lo sea por ahora, pero ¿se espera realmente que éste vaya a mejorar en el futuro? ¿Por qué?

Ahora analice el otro lado del balance general. *¿Cuánto cuesta cada fuente de financiamiento en el pasivo?* Nadie regala su dinero, así que todos aquellos que de alguna manera prestan su dinero a la empresa están obteniendo algún beneficio. Algunas fuentes de financiamiento son relativamente fáciles de cuantificar. Por ejemplo, para un crédito bancario se puede establecer el costo de manera relativamente fácil y objetiva. Sin embargo, ¿cuánto cuesta el financiamiento de proveedores? Sin duda no le dan crédito a la empresa sin costo. ¿Cuánto se está perdiendo por no tomar mejores precios por pago de contado? ¿Cuánto se está perdiendo al tener menor servicio por no pagar rápido? ¿Cuánto me costará si no le pago al proveedor y deja de surtirme el insumo? ¿Me pararía la planta?

De este mismo lado del balance general, *¿cuánto cuesta el financiamiento a través del capital contable?* ¿Cuánto es lo que quieren los accionistas de rendimiento por su inversión? ¿Cuál es el costo de oportunidad o uso alternativo que podría darle el accionista a su dinero? ¿Cuánto es lo que se paga de beneficio a otros inversionistas en el mismo sector industrial de la empresa que se esté analizando? Cuantificar el costo de esta fuente de financiamiento accionario puede ser relativamente difícil por la subjetividad en muchos de los parámetros para evaluar el costo.

*¿Cuál es el costo de capital promedio ponderado?* Con el costo de las fuentes de financiamiento del pasivo y del capital contable se debe obtener un promedio ponderado. Esto sería el costo promedio ponderado total de la fuentes de financiamiento de la empresa. A esto se le conoce como "costo de capital". Al costo de capital se le conoce también por sus siglas en inglés: WACC (weighted average cost of capital). Este parámetro es básico para cualquier análisis financiero. Después de todo, lo que debemos buscar en todo momento es que el rendimiento del activo sea mayor al costo de capital. Esto se puede lograr de dos formas: o se incrementa el rendimiento de los activos o se reduce el costo de capital. Esto último es un objetivo básico para cualquier financiero.

Finalmente, la pregunta fundamental: *¿Es mayor el beneficio por el rendimiento de la inversión en activos que el costo de las fuentes de financiamiento (costo de capital)? Simplemente, ¿es negocio esta* *empresa?* Si lo es, ¿qué debemos hacer para mejorar su rentabilidad y/o simplemente mantenerla? Si no lo es, ¿qué debemos hacer para darle la vuelta a la empresa y hacerla rentable? o ¿qué está esperando para cerrar la empresa y no seguir perdiendo?

En el cuadro 2 se muestra un esquema de los rendimientos y costos sobre un balance general. Por un lado, el promedio ponderado del rendimiento del activo disponible, de las cuentas por cobrar, del inventario y del activo fijo, nos dará el rendimiento del activo. Por otro lado, el costo ponderado del pasivo de corto plazo, del pasivo de largo plazo y del capital contable nos dará el costo de capital. Una vez más, se busca que el primero sea mayor que el segundo.

CUADRO 2

**RENDIMIENTO Y COSTO SOBRE EL BALANCE GENERAL**

| | | | |
|---|---|---|---|
| $i_1$ | Activo disponible | Pasivo de corto plazo | $i_5$ |
| $i_2$ | Cuentas por cobrar | Pasivo de largo plazo | $i_6$ |
| $i_3$ | Inventario | | |
| $i_4$ | Activo fijo | Capital contable | $i_7$ |

$$i_{activo} > i_{pasivo} + i_{capital} = i_k$$

$i_{activo} = f(i_1, i_2, i_3, i_4) = w_1 * i_1 + w_2 * i_2 + w_3 * i_3 + w_4 * i_4$
$w_1 + w_2 + w_3 + w_4 = 1$
$i_{pasivo} = f(i_5, i_6) = w_5 * i_5 + w_6 * i_6$
$w_5 + w_6 = 1$
$i_{capital} = i_7$
$i_k = f(i_{pasivo}, i_{capital}) = w_{pasivo} * i_{pasivo} + w_{capital} * i_{capital}$
$w_{pasivo} + w_{capital} = 1$
$i_k$ = costo de capital (promedio ponderado) = *(WACC)*

Si bien esquemáticamente son muy claros estos conceptos, no se insinúa que en la práctica esto sea fácil. Por el contrario, determinar algunos de estos rendimientos y costos puede ser difícil, en buena medida por lo subjetivo o poco claro de algunas medidas.

De cualquier forma, se esperaría que en cualquier momento el rendimiento de las cuentas por cobrar, del inventario y del activo fijo sea mayor que el costo de capital. Si esto no es así entonces puede ser que sea mejor dejar de vender a crédito, bajar el inventario y revisar nuestro activo fijo. El activo disponible, por principio, no puede redituar más de lo que cuestan las fuentes de financiamiento.

## *El estado de resultados*

De la misma manera, en el cuadro 3 se presentan algunas de las preguntas fundamentales que debemos hacernos cuando tenemos frente a nosotros el estado de resultados.

*¿Qué utilidad se generó en el periodo? Es decir, ¿qué riqueza se generó en el periodo?*

*¿Qué tan rentable fue la operación productiva? Es decir, ¿qué tan grande fue la utilidad bruta?* No olvidemos que la utilidad bruta depende en esencia de tres variables: el precio de venta, el volumen, y el costo de producción. Si el precio es alto, el volumen es mucho, y/o el costo de producción es bajo, entonces la utilidad bruta será alta. En mercados de competencia perfecta, como a los que tendemos en general en todos los sectores industriales hoy en día, la variable precio de venta está fuera de discusión, está fuera de nuestro control, lo define el mercado. Por lo tanto, lograr que la operación productiva sea muy rentable sólo es posible cuidando dos variables: el volumen y el costo de producción.

*¿Qué tan significativos fueron los gastos de administración y ventas, así como su impacto en la rentabilidad (utilidad de operación)?* Los gastos de administración y ventas, los gastos de operación, se deben a áreas de apoyo para la empresa. No se trata en sí de áreas productivas. ¿Qué tan grande es el gasto de operación con respecto al

CUADRO 3

**EN RESUMEN, QUÉ DEBEMOS PREGUNTARNOS SOBRE LA INFORMACION DEL ESTADO DE RESULTADOS**

- ¿Qué utilidad se generó en el periodo?
- ¿Qué riqueza se generó en el periodo?
- ¿Qué tan rentable fue la operación productiva (utilidad bruta)?
- ¿Qué tan significativos fueron los gastos de administración y venta, así como su impacto en la rentabilidad (utilidad de operación)?
- ¿La empresa está siendo rentable a través de la actividad para la que fue creada (utilidad de operación)?
- ¿Qué tan significativas fueron las operaciones financieras de la empresa (costo integral de financiamiento)? ¿Cuál es su impacto al resultado neto (a favor y en contra)?
- ¿Cuál ha sido la tendencia de la utilidad neta de la empresa, es decir, se ha estado generando riqueza en los últimos años?
- ¿Es rentable la empresa; es negocio?
- La utilidad es sinónimo de riqueza, pero no de dinero.
- La utilidad es importante en una empresa en el mediano y largo plazo; si no hay utilidad no hay negocio. El flujo de efectivo es importante en el corto plazo; si no hay flujo se muere la empresa.

costo de ventas? ¿No se están teniendo demasiados gastos de administración y ventas para la cantidad de producción y ventas que se tienen? ¿No hay demasiada administración y poca producción?

Los gastos de administración y venta no deben ser mayores a una fracción del costo de ventas. Si bien es difícil establecer una regla general y universal, lo que se debe hacer es analizar la tendencia de la relación gastos de operación entre costo de ventas. Si esta relación ha aumentado en los últimos años, mejor comience a revisar la administración. Nunca olvide que lo que le da de comer es la producción eficiente y la venta de bienes y servicios, nunca la administración de la operación. Los gastos de operación son de apoyo a la operación productiva y a la venta, y no viceversa.

*¿La empresa está siendo rentable a través de la actividad para la que fue creada (utilidad de operación)?* La utilidad de operación es el nivel de riqueza que se genera a partir de la operación propia de la empresa. Si la utilidad de operación es negativa, aun cuando la utilidad neta sea positiva, se puede decir que la empresa no es negocio. Un elemento fundamental a cuidar en cualquier negocio es que la utilidad de operación sea positiva, y que las acciones que se están tomando hoy nos lleven a que en el futuro ésta sea aún mayor.

Después de todo, el negocio se inició para producir bienes o servicios, y ganar dinero a través de su comercialización. El negocio no es ganar intereses, o ganancia cambiaria, o incentivos fiscales. Si la utilidad de operación es negativa, pero la utilidad neta es positiva gracias a la habilidad de la gerencia para generar intereses, entonces cierre la empresa y dedíquese a "casa de bolsa", dedíquese a especular financieramente con sus recursos, que es lo que aparentemente sabe hacer la gerencia.

*¿Qué tan significativas fueron las operaciones financieras de la empresa (costo integral de financiamiento? ¿Cuál es su impacto al resultado neto (a favor y en contra)?* Aquí debe detectarse si las estrategias de financiamiento y de operaciones con moneda extranjera han sido las mejores para la empresa o si han costado demasiado. También si el beneficio por la inversión de los excedentes de tesorería ha sido bueno con respecto al mercado. En muchos negocios valdría la pena preguntarse,

¿es realmente el costo financiero la razón para que la empresa no sea negocio, o el problema viene desde la utilidad de operación?

Si tiene duda haga un análisis rápido. ¿Cuál sería la utilidad sin intereses? ¿Cuál sería con la mitad de los intereses? Si ni siquiera así hay utilidad, la empresa no es negocio. Deje de culpar al banco y a los altos intereses; con éstos o sin ellos de cualquier forma no saldría adelante. El problema es que la operación del negocio no genera utilidad, no genera riqueza.

*¿Cuál ha sido la tendencia de la utilidad neta de la empresa, es decir, se ha estado generando riqueza en los últimos años?* Los ejecutivos de la empresa no deben reaccionar en el momento en que dejan de tener utilidad neta. Menos aún después de varios años de que ésta es negativa. Deben reaccionar tan pronto la tendencia de la utilidad comienza a declinar. Esto se puede determinar a través de un análisis del estado de resultados de forma comparativa a través del tiempo. Una vez más, no es culpa del negocio si los ejecutivos de la corporación no analizan los estados financieros y no detectan desviaciones a tiempo.

Finalmente, *¿es rentable la empresa; es negocio?* Si es rentable, ¿qué puede hacerse para incrementar su rentabilidad y/o simplemente para mantenerla? Y si no es rentable, ¿para qué se tiene abierto el negocio? Se perdería menos si se cierra un negocio no rentable que si se mantiene abierto.

*La utilidad es sinónimo de riqueza, pero no de dinero*. Una empresa que tiene utilidad es, definitivamente, más rica. Sin embargo, esta riqueza puede no estar reflejada en dinero. La utilidad puede estar en cuentas por cobrar, o invertida en inventarios o en un activo fijo. También la utilidad se pudo utilizar para liquidar pasivos o para pagar dividendos. Todo esto no implica que la empresa no haya generado riqueza, simplemente que esta riqueza o utilidad no se tiene en recursos líquidos, en dinero.

*Por último, siempre recuerde que la utilidad es importante en una empresa en el mediano y largo plazo; si no hay utilidad no hay negocio. Por otro lado, el flujo de efectivo es importante en el corto plazo; si no hay flujo se muere la empresa.*

### *El estado de cambios en la situación financiera*

En el cuadro 4 se presentan algunas de las preguntas fundamentales que debemos hacernos cuando tenemos frente a nosotros el estado de cambios en la situación financiera.

*¿De dónde se obtuvieron recursos para la operación de la empresa? ¿En qué se utilizaron los recursos de la empresa?* La información fundamental de este estado financiero no radica en su resultado final o renglón último: el incremento en activo disponible. Esta información la puede conocer simplemente de restar el saldo final, o saldo de este periodo, del saldo inicial, o saldo del periodo anterior, en activo disponible en el balance general. La información relevante que ofrece el estado de cambios en la situación financiera al tomador de decisiones es la explicación del porqué se tiene dinero. De dónde se obtuvieron recursos, es decir, qué originó que se generaran recursos en la empresa durante el periodo, y en que se utilizaron o aplicaron éstos, es la información objeto de este estado financiero.

Recuerde que una empresa puede sobrevivir en el corto plazo sin utilidades, pero no sin flujo. Sin embargo, si no tiene utilidades la empresa implica que de algún otro lado se están obteniendo los recursos. Si esto no lo tiene bien controlado es posible que cuando menos lo espere la empresa presente problemas serios de liquidez para seguir operando. Los negocios acaban cerrando por falta de dinero, no por falta de utilidades. Por todo esto, es importante que el tomador de decisiones esté consciente en todo momento del lugar donde la empresa está generando recursos.

Por el otro lado, ¿qué explicación dará a los accionistas si se tienen utilidades pero no se tiene flujo de efectivo? Para poder contestar esto en la empresa se debe mantener un control sobre el uso o aplicación de los recursos generados.

Los recursos de la empresa se pueden clasificar en tres grandes grupos: de la operación, del financiamiento y de inversión. En el primer caso se trata de lo que genera la empresa a través de las utilidades y lo que genera o utiliza en el capital de trabajo. En el segundo caso se distinguen los recursos que se obtienen de fuentes externas (bancos y otros)

## CUADRO 4

### EN RESUMEN, QUÉ DEBEMOS PREGUNTARNOS SOBRE LA INFORMACION DEL ESTADO DE CAMBIOS EN LA SITUACIÓN FINANCIERA

- ¿De dónde se obtuvieron recursos para la operación de la empresa y en qué se utilizaron los recursos de la empresa?
- ¿Cuántos recursos se obtuvieron de la utilidad del año?
- ¿Cuántos recursos se obtuvieron o utilizaron por cambios en el capital de trabajo? ¿Cuántos recursos se utilizaron para financiar a clientes? ¿Cuántos para financiar el inventario? ¿Cuántos se obtuvieron por el financiamiento de proveedores?
- ¿Cuántos recursos se obtuvieron por la operación propia de la empresa?
- ¿Cuántos recursos se obtuvieron o utilizaron en fuentes de financiamiento? ¿Cuántos de fuentes de financiamiento externas a corto plazo? ¿Cuántos de largo plazo? ¿Cuántos por aportaciones o retiros de capital accionario? ¿Cuántos se utilizaron para pagar dividendos?
- ¿Cuántos recursos se utilizaron u obtuvieron por actividades de inversión? ¿Cuántos se están invirtiendo en activo fijo?
- ¿Cuál es la principal fuente de recursos de la empresa? ¿Está sobreviviendo con los recursos que genera de su actividad propia o requiere de otras fuentes?
- ¿Genera flujo de efectivo la empresa?
- El flujo de efectivo es sinónimo de dinero, pero no es sinónimo de riqueza.
- El flujo de efectivo es importante en el corto plazo; si no hay flujo se muere la empresa. La utilidad es importante en una empresa en el mediano y largo plazo; si no hay utilidad no hay negocio.

e internas (accionistas), así como lo que se les regresa. En el último caso se relacionan las inversiones de la empresa que requieren de fondos, o bien la venta de activos que generan fondos. Así pues, el ejecutivo debe identificar en el estado de cambios en la situación financiera explicaciones al origen y uso de recursos sobre estos tres grandes grupos.

*¿Cuántos recursos se obtuvieron de la utilidad del año?* La empresa obtiene recursos a partir de la utilidad, una vez eliminadas aquellas partidas que se restaron, o sumaron, a la utilidad en el estado de resultados y que no implican, ni implicarán, desembolsos de efectivo (por ejemplo, la depreciación, las amortizaciones de pagos por anticipado, las actualizaciones del costo, y el resultado por posición monetaria).

Se puede decir que en el mediano y largo plazo los recursos que se obtienen de la utilidad del año son los únicos recursos sanos de la empresa. Cualquier otra fuente de recursos está fuera de la naturaleza de la empresa y tiene un límite. Una posible fuente de recursos, fuera de la utilidad, son la venta de activos. Sin embargo, esta venta tiene un límite natural; el día que se venda el último activo se acabó esta posible fuente de recursos. La utilidad no tiene límite y se puede seguir generando de manera ilimitada en el tiempo. Otra posible fuente, fuera de la utilidad, son los pasivos. Sin embargo también tiene un límite: nadie prestará en forma indefinida a una empresa que no genera utilidades. Por último, otra fuente de recursos, también fuera de la utilidad, son las aportaciones de socios. ¿Cuántos socios, suponiendo que son razonables, se dedicarán a aportar recursos a un negocio que no les genera utilidades?

Esto no implica que una empresa deba limitarse a los recursos que le genera la utilidad del periodo, suponiendo que ésta se da. Simplemente, en el corto plazo debe tenerse un control sobre por qué y con qué se financia la empresa, sobre todo cuando no se tienen utilidades.

Dentro de los recursos de la operación, además de los generados por la utilidad del periodo se tienen los generados o utilizados por los cambios en el capital de trabajo. *¿Cuántos recursos se utilizaron para financiar a los clientes?* Un aumento en las cuentas por cobrar implica que se dejó de cobrar, por lo tanto se requirieron recursos para financiar la operación de la empresa que se esperaba soportar con la venta (se trata de una aplicación de recursos). *¿Cuántos recursos se utilizaron para* *financiar los inventarios?* Un aumento en los saldos del inventario implica que se compró o fabricó más de lo que se vendió, por lo que debemos financiar internamente esas existencias mientras son vendidas (se trata también de una aplicación de recursos). Por último, *¿cuántos recursos se obtuvieron por el financiamiento de proveedores?* Cuando los proveedores venden a crédito están financiando la operación, lo cual implica que la empresa no tendrá que pagar de momento y con eso dispondrá de recursos para otro uso (se trata aquí de un origen de recursos).

Finalmente, con la suma de los recursos generados por resultados y por cambios en el capital de trabajo puede contestar una pregunta básica en cualquier negocio: *¿cuántos recursos se obtuvieron por la operación propia de la empresa?* En otras palabras, esta empresa ¿está generando recursos a partir de la operación para la que fue creada? Si la respuesta es afirmativa, entonces habría que analizar dos cosas: ¿es el nivel adecuado de recursos para cumplir con todos los compromisos de la empresa?, y ¿dónde están invertidos esos recursos? Si la respuesta es negativa entonces habría que preguntarse dos cosas: ¿de dónde se están obteniendo los fondos con los que está sobreviviendo la empresa?, y ¿debe mantenerse abierta la empresa o se pierde más cada día que permanece operando?

Ahora debe procederse a analizar los recursos que se obtuvieron y se utilizaron en fuentes de financiamiento. *¿Cuántos recursos se obtuvieron o utilizaron en fuentes de financiamiento, tanto ajenas como propias?* Las fuentes ajenas son básicamente los pasivos, es decir, recursos de bancos, de emisiones de papel de deuda, por préstamos de casa matriz, y otros. ¿Cuántas fuentes de financiamiento externas a corto plazo se obtuvieron o se pagaron en el periodo de análisis? ¿Cuántas de largo plazo? ¿Son las adecuadas para el plazo natural de lo que se está financiando? ¿Con qué condiciones se contrataron éstas? ¿Se pagó una fuente de financiamiento que ya había cumplido con su fin o se perdió una buena fuente de financiamiento?

Por último están los recursos relacionados con actividades de inversión. *¿Cuántos recursos se utilizaron u obtuvieron por actividades de inversión?* De éstos, ¿cuántos se están invirtiendo en activo fijo? ¿Cuántos se obtuvieron por venta de activos fijos? Una empresa que deja de invertir implica que comienza a morir. Los problemas por la falta de inversión se dan en el mediano y largo plazo. Muchas preguntas de detalle deben resolverse en este punto. ¿Existe una justificación financiera para las inversiones que se llevaron a cabo? Si se vendió activo, ¿por qué se vendió, a quién, a qué precio y bajo qué criterios? Después de todo, se trata de la venta del patrimonio de la empresa.

Un aspecto muy importante a cuidar aquí es lo relacionado con la reposición del activo fijo. Todo activo fijo (maquinaria, equipo de todo tipo, edificaciones, etcétera) se desgasta. Si no se repone, al cabo de unos años la empresa habrá perdido su capacidad de competir, simplemente porque habrá acabado con sus bienes de capital y con su ventaja tecnológica. Una regla simple es que cualquier empresa debe invertir en activo fijo, cada año, una cantidad al menos igual que la depreciación reconocida en el mismo periodo. Esto implicaría simplemente mantener el nivel inicial de la empresa desde el punto de vista tecnológico. ¿Esto se ve reflejado en el estado de cambios en la situación financiera?

Y así debiera terminarse el análisis con la pregunta inicial: *¿cuál es la principal fuente de recursos de la empresa? ¿Está sobreviviendo con los recursos que genera de su actividad propia o requiere de otras fuentes?* En pocas palabras, ¿genera flujo de efectivo la empresa? Y, *¿es suficiente este flujo para los planes a futuro y para cumplir con los compromisos de la empresa?*

Por último, siempre recuerde que *el flujo de efectivo es importante en el corto plazo; si no hay flujo se muere la empresa. Por otro lado, la utilidad es importante en una empresa en el mediano y largo plazo; si no hay utilidad no hay negocio.*

## *El flujo de efectivo*

Si en el estado de cambios en la situación financiera se identifican cambios netos en los recursos, en el flujo de efectivo podríamos decir que se pueden apreciar los movimientos totales de dinero, para llegar al mismo resultado final con el incremento en el activo disponible o flujo de efectivo neto del periodo.

En el cuadro 5 se muestra algo de lo que debemos preguntarnos sobre la información del flujo de efectivo.

CUADRO 5

**EN RESUMEN, QUÉ DEBEMOS PREGUNTARNOS SOBRE LA INFORMACIÓN DEL FLUJO DE EFECTIVO**

- ¿Cuántos ingresos de la operación se obtuvieron en el periodo?
- ¿Cuántos egresos de la operación se tuvieron en el periodo?
- ¿Cuántos ingresos ajenos a la operación se obtuvieron en el periodo?
- ¿Cuántos egresos ajenos a la operación se tuvieron en el periodo?
- ¿Se está generando flujo de efectivo a partir de la operación?
- ¿Es suficiente este flujo de efectivo de la operación para financiar los planes de crecimiento de la empresa?
- ¿Genera la empresa el flujo de efectivo suficiente para cumplir con sus compromisos con acreedores (proveedores, bancos, gobierno, accionistas, otros)?
- ¿Cómo es la tendencia del flujo operativo neto? ¿Por qué es constante? ¿Por qué crece? ¿Por qué decrece?
- ¿Se cobra lo que se vende?
- ¿Genera flujo de efectivo la empresa?
- El flujo de efectivo es sinónimo de dinero, pero no es sinónimo de riqueza.
- El flujo de efectivo es importante en el corto plazo; si no hay flujo se muere la empresa. La utilidad es importante en una empresa en el mediano y largo plazo; si no hay utilidad no hay negocio.

Aquí el análisis básico es el mismo: ¿Cuántos ingresos propios de la operación se obtuvieron en el periodo? ¿Cuántos egresos propios de la operación se tuvieron en el periodo? Por otro lado, ¿cuántos ingresos ajenos a la operación se obtuvieron en el periodo? ¿Cuántos egresos ajenos a la operación se tuvieron en el periodo?

Y una vez más, *¿se está generando flujo de efectivo a partir de la operación?* Recuerde que la empresa se estableció para generar recursos, no para sobrevivir de recursos ajenos a la operación.

*¿Es suficiente este flujo de efectivo de la operación para financiar los planes de crecimiento de la empresa?* En muchas ocasiones las intenciones de crecimiento se ven limitadas por la falta de recursos propios. En otras, una empresa que parecía que llevaba una trayectoria ascendente se ve de repente detenida en su crecimiento, a veces demasiado bruscamente, y todo por falta de previsión sobre los recursos que se tienen disponibles a través de la generación propia de efectivo de la empresa.

Se dice mucho en el mundo de los negocios que "el flujo es el rey", que "el flujo lo es todo". Si bien podemos estar de acuerdo con estas expresiones, valdría la pena sólo acotarlas: *el flujo generado por la operación lo es todo.*

*¿Genera la empresa el flujo de efectivo suficiente para cumplir con sus compromisos con acreedores (proveedores, bancos, gobierno, accionistas, y otros)?* Después de todo, la empresa debe cumplir con todos o no es negocio. Si se cumple con los externos y no con los accionistas, seguro habrá problemas en la próxima Junta de Accionistas. Si se cumple con los accionistas y no con los externos, seguro habrá problemas para la empresa en el mediano plazo.

Y si analiza la historia, ¿qué puede inferir? *¿Cómo es la tendencia del flujo operativo neto?* ¿Por qué es constante? ¿Por qué es creciente? ¿Por qué es decreciente? Debe tenerse la disciplina del análisis en el tiempo. Con esto se pueden apreciar tendencias que nos lleven a anticiparnos a problemas y a investigar las causas. Por ejemplo, ¿se cobra lo que se vende?

Una vez más, en la cabeza de cualquier ejecutivo debe estar muy claro si la empresa genera efectivo y por qué lo genera.

El flujo de efectivo es sinónimo de dinero, pero no es sinónimo de riqueza. El flujo de efectivo es importante en el corto plazo; si no hay flujo se muere la empresa. La utilidad es importante en el mediano y largo plazo; si no hay utilidad, no hay negocio.

### *Conceptualización integral de todos los estados financieros*

Eventualmente, cada persona establecerá un esquema mental propio para conceptualizar en todo momento los estados financieros de la empresa: la relación entre ellos, el efecto de la operación diaria y su expresión en éstos, su dinamismo, así como sus características y limitantes. Sin embargo, dos esquemas aquí presentados pueden ayudar a establecer una idea base.

En el cuadro 6 se aprecia la relación entre los estados financieros y sus características fundamentales. Al centro pudiera ubicarse el balance general. El estado de resultados a su derecha, alimentando en todo momento el rubro de utilidades del ejercicio en el capital contable del balance general. A la izquierda, el estado de cambios en la situación financiera o el flujo de efectivo, alimentando en este caso en todo momento el rubro de activo disponible en el activo circulante del balance general. Con esto se está diciendo que cualquier movimiento en alguno de los estados financieros afectará a los demás debido a su constante relación.

El objetivo de cada uno es claro. Para el estado de cambios en la situación financiera o para el flujo de efectivo, el objetivo es medir la generación u origen de recursos y el uso de los mismos, es decir, el movimiento de dinero. Para el balance general, el objetivo es presentar la situación financiera de la empresa a una fecha determinada. Para el estado de resultados, el objetivo es medir la eficiencia de la actividad de la empresa, así como la generación de riqueza, para un periodo determinado.

El resultado que debe esperarse de cada uno es el siguiente. Para el estado de cambios en la situación financiera o para el flujo de efectivo, el resultado es el flujo de efectivo, es decir, el movimiento de dinero.

## CUADRO 6

# RELACIÓN ENTRE ESTADOS FINANCIEROS Y CARACTERÍSTICAS FUNDAMENTALES

**ESTADO DE CAMBIOS EN LA SITUACIÓN FINANCIERA / FLUJO DE EFECTIVO**

01/ ENE AL 31/DIC

**OBJETIVO:** Medir la generación u origen de recursos y el uso de los mismos, es decir, movimiento de dinero.

**RESULTADO:** Flujo de efectivo (movimiento de dinero).

**MUESTRA:** Cómo se modificaron los recursos y obligaciones de la empresa en el periodo, así como movimiento de dinero.

**SE PRESENTA:** Por un periodo determinado.

**BALANCE GENERAL**

31 / DICIEMBRE

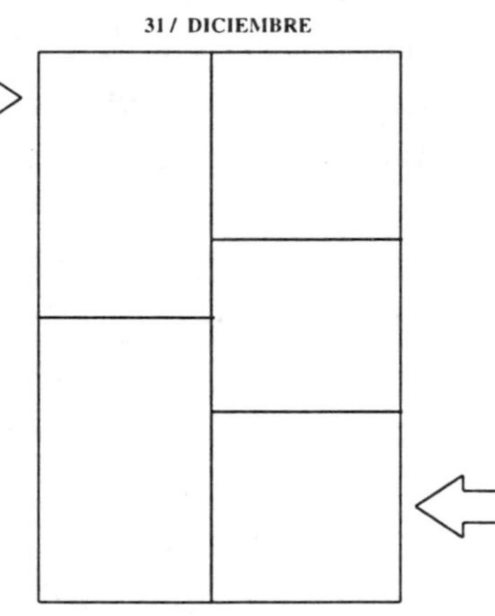

**OBJETIVO:** Presentar la situación financiera de la empresa a una fecha determinada.

**RESULTADO:** Estructura de la empresa (qué se tiene y a quién se debe).

**MUESTRA:** Los activos (qué se tiene), así como el pasivo (qué se debe a externos) y el capital (patrimonio de los accionistas).

**SE PRESENTA:** A una fecha determinada.

**ESTADO DE RESULTADOS**

01/ ENE AL 31/ DIC

**OBJETIVO:** Medir la eficiencia de la actividad de la empresa, así como la generación de riqueza, para un periodo determinado.

**RESULTADO:** Utilidad (generación de riqueza).

**MUESTRA:** Los ingresos, costos y gastos, así como la utilidad o pérdida resultante del periodo.

**SE PRESENTA:** Por un periodo determinado.

Para el balance general, el resultado es la estructura de la empresa, o sea, qué se tiene y a quién se debe. Para el estado de resultados, el resultado es la utilidad, es decir, la generación de riqueza.

Lo que muestra cada estado financiero es lo siguiente. Para el estado de cambios en la situación financiera o para el flujo de efectivo, se muestra cómo se modificaron los recursos y obligaciones de la empresa en el periodo, así como el movimiento de dinero. Para el balance general, se muestran los activos (qué se tiene), así como el pasivo (qué se debe a externos) y el capital (el patrimonio de los accionistas), todo esto a una fecha determinada. El estado de resultados muestra los ingresos, los costos y los gastos, así como la utilidad o pérdida resultante del periodo.

Por último, tanto el estado de cambios en la situación financiera como el flujo de efectivo y el estado de resultados se presentan por un periodo determinado, normalmente un mes, un trimestre o un año. Por su parte, el balance general se presenta a una fecha determinada, normalmente se presentan los saldos al último día del mes.

Si pensamos en el análisis de los estados financieros (cuadro 7), siempre se requerirá de cuando menos dos balances generales: uno que muestre la situación financiera al inicio del periodo de análisis y otro que la muestre al final. Por ejemplo, si se analiza un año natural completo, se requiere al menos del balance general al 31 de diciembre del año anterior y el del 31 de diciembre de este año. Vale la pena hacer énfasis en que se dijo "cuando menos". Si se tienen más balances generales intermedios, se tendrá un panorama mayor de la situación que se tuvo durante el periodo de análisis, y no sólo del principio y el final.

Por otro lado, se requiere del estado de resultados que abarque este periodo. Este estado de resultados nos mostrará la eficiencia de la operación, las ventas, los costos y los gastos que se tuvieron, y finalmente la utilidad resultante, la cual estará reflejada en el capital contable en el balance general final.

El estado de cambios en la situación financiera nos mostrará el origen y uso de los recursos y por lo tanto el flujo de efectivo neto del periodo. El flujo de efectivo mostrará los movimientos totales de dinero. El flujo de efectivo neto del periodo estará reflejado en el incremento del activo disponible en el balance general final.

CUADRO 7

# ANÁLISIS DE ESTADOS FINANCIEROS

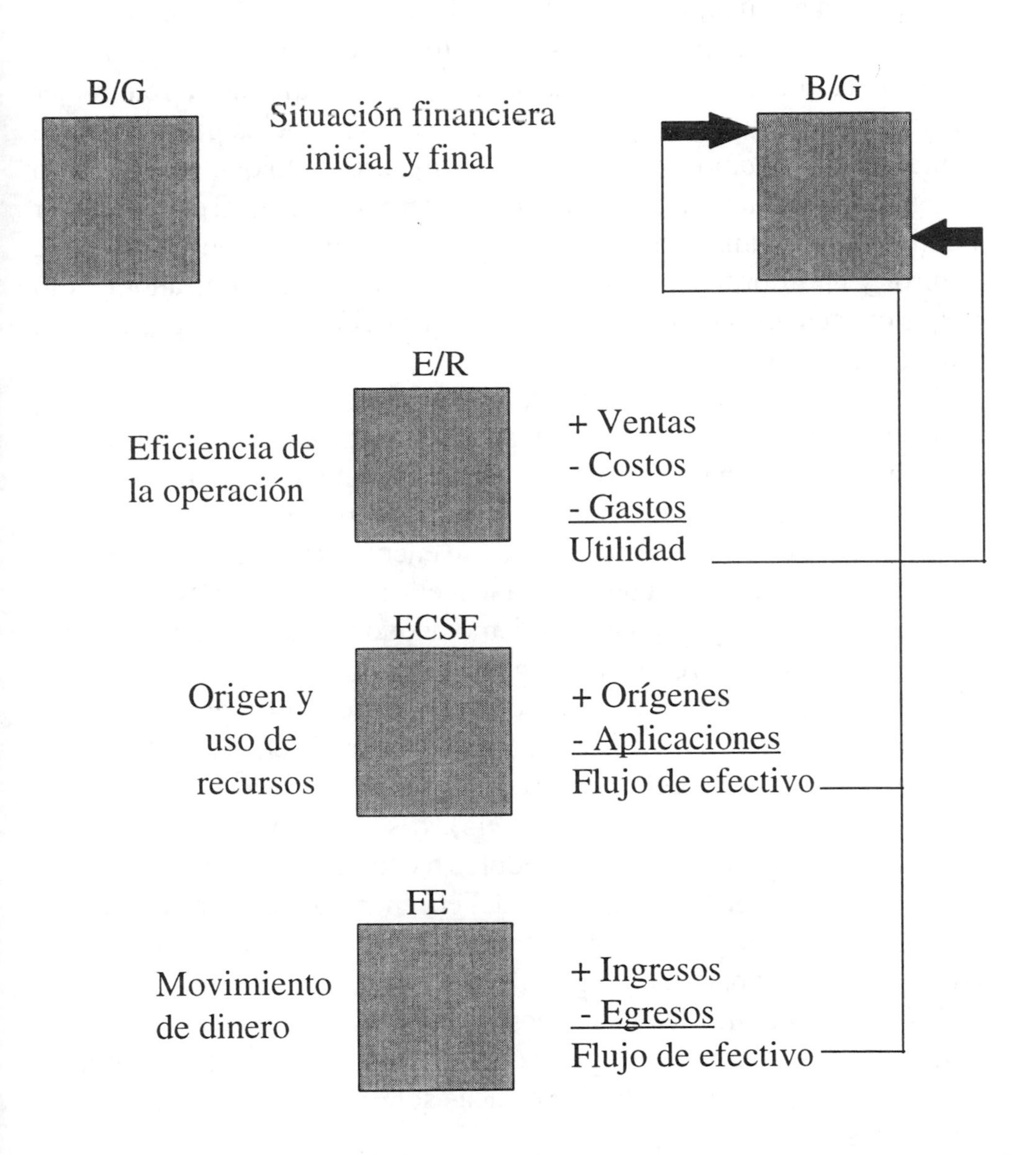

## *Relaciones causales básicas en la información financiera*

Toda operación de negocios se ve reflejada en la contabilidad de la empresa de una forma u otra. Para el ejecutivo de finanzas es importante mantener en su mente las relaciones causales básicas que se presentan en la contabilidad de cualquier empresa para imaginar con anticipación cómo se verán reflejados los resultados de su toma de decisiones (cuadro 8).

La contabilidad es algo que debe conocer cualquier hombre o mujer de negocios, ya que se trata del lenguaje de los negocios. A través de la contabilidad es como expresamos en forma escrita lo que está pasando en los negocios. La contabilidad ha sido desarrollada, al igual que cualquier idioma, por la humanidad, simplemente para satisfacer necesidades de control y de información. Puede no ser perfecta, pero por ahora es lo mejor que tenemos en los negocios, así que debe usarse lo más posible para apoyar la toma de decisiones.

Aunque en un registro contable puede haber muchas subclasificaciones, no es necesario que el ejecutivo busque competir con el auxiliar contable. Simplemente, para fines de esquematización mental debemos tener presentes los movimientos generales más importantes.

Algunas de estas relaciones básicas se encuentran en el cuadro 8. Por ejemplo, si se incrementa una partida en el activo, necesariamente debe decrementarse otra partida en el mismo activo, o deberá incrementarse una partida en el pasivo, o en el capital. A esta relación básica la hemos identificado con el número 1. Para ejemplificar esta primera relación, si se adquieren inventarios (incremento de una partida en el activo), necesariamente se deberá decrementar otra partida del activo (digamos activo disponible si se pagara de contado), o se deberá incrementar una partida del pasivo (digamos proveedores o cuentas por pagar, si se comprara a crédito la mercancía), o se deberá incrementar una partida del capital contable (digamos capital social, si se tratara de una aportación en mercancía por parte de un socio).

Así pues, siguiendo las relaciones que se presentan, el ejecutivo debe "jugar" con las operaciones típicas de su negocio para mantener siempre en mente las relaciones causales básicas sobre el efecto de su toma de decisiones.

CUADRO 8

## RELACIONES CAUSALES BÁSICAS EN LA INFORMACIÓN FINANCIERA

| | Si se: | Efecto sobre el activo: | | Efecto sobre el pasivo | | Efecto sobre el capital contable: |
|---|---|---|---|---|---|---|
| 1 | Incrementa una partida del activo | Se decrementa otra partida del activo | o | Se incrementa una partida del pasivo | o | Se incrementa una partida de capital |
| 2 | Decrementa una partida del activo | Se incrementa otra partida del activo | o | Se decrementa una partida del pasivo | o | Se decrementa una partida de capital |
| 3 | Incrementa una partida del pasivo | Se incrementa una partida de activo | o | Se decrementa otra partida del pasivo | o | Se decrementa una partida de capital |
| 4 | Decrementa una partida del pasivo | Se decrementa una partida del activo | o | Se incrementa otra partida del pasivo | o | Se incrementa una partida de capital |
| 5 | Incrementa una partida del capital contable | Se incrementa una partida del activo | o | Se decrementa una partida del pasivo | o | Se decrementa otra partida de capital |
| 6 | Decrementa una partida del capital contable | Se decrementa una partida del activo | o | Se incrementa una partida del pasivo | o | Se incrementa otra partida de capital |
| 7 | Tiene utilidad mayor a cero (ganancia) | Se incrementa en general el activo | y/o | Se decrementa en general el pasivo | y | Se incrementa la partida de utilidad en el capital |
| 8 | Tiene utilidad menor a cero (pérdida) | Se decrementa en general el activo | y/o | Se incrementa en general el pasivo | y | Se decrementa la partida de utilidad en el capital |

# 4. Uso dc razones financieras

Seguramente, la necesidad de contar con un análisis financiero más veloz, más simple, más frío aún que los números expresados en unidades monetarias en los estados financieros, de contar con cifras comparables entre distintas empresas y momentos en el tiempo, de contar con parámetros clave sobre la evolución y control del negocio, ha llevado al desarrollo y uso de las razones financieras.

Sin lugar a dudas, el uso de razones financieras en la toma de decisiones es una de las herramientas más utilizadas por analistas financieros experimentados y por altos ejecutivos que dominan el conocimiento de los estados financieros.

## *Qué son las razones financieras*

*Las razones son el resultado de dividir dos rubros de alguno o algunos de los estados financieros. Son simples cocientes de una operación aritmética, una operación simple, pero que cuando se lleva a cabo con el numerador y el denominador correctos entonces se tiene una herramienta poderosa en el análisis financiero.*

Siempre se requieren parámetros generales que puedan darnos una idea general, rápida y precisa sobre la situación de la empresa. Haciendo el símil con un médico, cuando éste toma la temperatura a un paciente, le prescribe algunos análisis o revisa sus reflejos, está tomando algunos parámetros generales, fáciles y rápidos de lograr, y que podrán decirle mucho sobre la posible situación del paciente. Si no hay fiebre y los reflejos son buenos, pero encuentra un problema con el análisis de garganta, el médico puede concentrar sus esfuerzos en buscar el problema en detalle en la garganta misma del paciente, o simplemente referirlo a un especialista en la materia con cierta certeza de que no le ha fallado su diagnóstico.

De la misma manera, cuando llevamos a cabo un análisis de la situación financiera de la empresa a través de razones financieras, podremos darnos cuenta de la situación general de la empresa, e inferir a través de la tendencia de las razones y de su comparación con los parámetros de una empresa "sana" sobre los aspectos específicos donde puede haber problemas y áreas de oportunidad.

*Así pues, las razones financieras permiten llevar a cabo un análisis rápido, fácil de comparar con otros parámetros y empresas, y objetivo. Las razones financieras tienen algunas características que las hacen muy atractivas para apoyar en ellas el análisis* (cuadro 1):

*a) No tienen unidad de medida.* Esto implica que no hablamos de pesos, de dólares o de francos. Simplemente se trata de números sin unidad monetaria. Esto permite comparar información de empresas en diferentes países. Por ejemplo, ¿cómo podríamos comparar la actuación de las subsidiarias en cada país de una empresa multinacional si cada una mide sus utilidades en diferentes monedas? Una alternativa es convertir todas la utilidades a una misma moneda, pero entonces el problema puede ser el tipo de cambio y su sobre o subvaluación. Con una razón financiera de rentabilidad simplemente analizaríamos el porcentaje de retorno sobre la inversión, es decir, la relación entre utilidad y activos totales promedio. Al dividir ambas cifras en la misma unidad monetaria, el resultado de esta operación daría una razón sin unidad de medida, simplemente un porcentaje. Sin embargo, estos porcentajes sí serían comparables para definir cuál de las subsidiarias ha sido más rentable.

*b) Rompen con problemas de tamaño.* Esto implica que podemos comparar empresas con diferentes tamaños. Por ejemplo, si se trata de dos compañías que tienen tamaños distintos y queremos saber cuál pudiera tener mayores problemas por su deuda, si comparáramos simplemente el tamaño de su pasivo total no podríamos concluir nada. Si la empresa

CUADRO 1

**CARACTERÍSTICAS DE LAS RAZONES FINANCIERAS**

- No tienen unidad de medida. Esto permite comparar información de diferentes países.
- Rompen con problemas de tamaño. Esto permite comparar información de empresas de distinto tamaño.
- Eliminan problemas de tiempo en cuanto al poder adquisitivo del dinero (pesos corrientes). Esto permite comparar información de diferentes años sin necesidad de actualizar los datos.

mayor tiene un pasivo mayor no implica necesariamente que deba más. Dado su tamaño, esto puede ser lo correcto. Sin embargo, si dividimos su pasivo entre su capital contable, es decir, obtenemos sus razones de apalancamiento, entonces sabremos proporcionalmente cuál de las dos empresas tiene una deuda mayor en relación con el patrimonio de los accionistas.

*c) Eliminan problemas de tiempo.* Las razones financieras permiten comparar cifras en diferentes momentos en el tiempo. Entre otras cosas, evitan el problema del poder adquisitivo del dinero. Por ejemplo, si sabemos que una empresa tuvo utilidades de $100 hace cinco años y de $150 el año pasado, no podemos decir que está mejor ahora. Por un lado habría que hacer comparables ambas cifras en cuanto a su poder adquisitivo, es decir, están en pesos corrientes. Una alternativa es actualizar las cifras. El problema aquí siempre será la metodología y el índice de precios a utilizar para la actualización. En cambio, si simplemente obtuviéramos la relación entre la utilidad de cada año y las ventas, es decir, el margen neto de ventas, podríamos comparar los resultados de ambos años, ya que lo que estaríamos comparando serían un par de cifras porcentuales. Asimismo, si las utilidades se obtuvieron a partir de ventas de diferentes tamaños, con la razón financiera se estaría considerando esto.

De esta manera, las características mencionadas para las razones financieras las vuelven una herramienta poderosa. No intentamos decir que son superiores a la información de los estados financieros, pero sí presentan alguna información en características tales que los estados financieros no tienen.

Sin embargo, la gran limitante de las razones financieras es que se trata de medidas relativas. Una razón financiera por sí sola no dice nada. Si nos dijeran que la utilidad neta es de $100, al menos podemos imaginarnos la cantidad de dinero de que se trata, e incluso para qué podría servirnos. Sin embargo, si nos dicen que la rentabilidad es del 10%, esto no nos dice nada, ya que debemos tener un parámetro de referencia para decir si ese 10% es bueno o malo.

*Así pues, las razones financieras no son medidas absolutas, más bien son medidas relativas. Por lo tanto, requieren de un parámetro de comparación. ¿Contra qué se les puede comparar a las razones financieras?* Veamos algunos parámetros posibles (cuadro 2):

*a) Contra la historia de la misma empresa.* Es decir, simplemente comparar la tendencia de la empresa. Si se obtienen razones financieras de varios periodos, sobretodo si esto se hace constantemente, se podrá observar cuando ciertas razones tiendan a salir de un rango de aceptación predeterminado. Por principio, todas las empresas tienen historia, lo cual hace posible este parámetro de comparación para cualquier negocio.

*b) Contra otras empresas del mismo sector industrial.* Es decir, si conocemos ciertas razones financieras de empresas similares a la nuestra, o el promedio del sector, podremos saber si estamos operando dentro de los parámetros de nuestra industria o de nuestros competidores.

CUADRO 2

Las razones financieras no son medidas absolutas, más bien son medidas relativas. Por lo tanto, requieren de un parámetro de comparación.

**¿CONTRA QUÉ SE PUEDEN COMPARAR LAS RAZONES FINANCIERAS?**

- Contra la historia de la misma empresa
- Contra otras empresas del mismo sector industrial
- Contra metas establecidas por la alta dirección o el Consejo de Administración

En países como Estados Unidos, esta información es amplia y está disponible prácticamente para cualquier persona interesada en ella. Se obtiene información de la bolsa de valores y de encuestas que se aplican directamente a las empresas. En el caso de países como México, esta información es muy limitada. Por un lado sólo se tiene información de empresas que cotizan en la bolsa de valores, siendo ésta muy pequeña comparada con la de otros países desarrollados. Por otro lado, la información estadística es poca y normalmente poco confiable, ya que sobre todo la cultura de las organizaciones está dirigida a no dar información. Esto dificulta que en México este parámetro de comparación pueda ser utilizado en lo general.

*c) Contra metas establecidas* por la alta dirección o el Consejo de Administración. Esto se observa en empresas multinacionales, donde una misma meta puede ser útil para varios países. Se le puede exigir al director general de cada empresa un retorno sobre la inversión del 15%. Será problema de cada director general convertir este parámetro a su moneda local y a sus problemas de tipo de cambio. Al final del año simplemente se utilizará esta razón financiera para evaluar el desempeño de cada subsidiaria.

Podemos decir que hay infinidad de razones financieras. Es la humanidad quien las ha ido desarrollando conforme las ha requerido. Sin embargo, normalmente para cada negocio son una cuantas razones financieras las que le son realmente relevantes y que le permiten mantener un verdadero control gerencial sobre el negocio. En este capítulo se están presentando y analizando las razones financieras más comunes.

*En general las razones financieras se clasifican en varios grupos o tipos* (cuadro 3):

*Razones de liquidez:* Agrupan a aquellas que ayudan a analizar la capacidad de la empresa de cumplir con sus compromisos de pago a corto plazo. Normalmente se incluye en éstas a todas las relacionadas con el activo circulante y el pasivo circulante o de corto plazo.

*Razones de apalancamiento o solvencia:* Agrupan a aquellas que sirven para analizar la estructura financiera de la empresa y su capacidad de pago a largo plazo. Normalmente se incluye en éstas a todas las relacionadas con el pasivo de la empresa.

*Razones de rendimiento o rentabilidad:* Agrupan a aquellas que sirven para medir la capacidad de la empresa de generar utilidades. Normalmente se incluye en éstas a todas las relacionadas con la utilidad.

*Razones de actividad:* Agrupan a aquellas que sirven para analizar la eficiencia de la operación de la empresa. Normalmente se incluyen en éstas a las relacionadas con el activo de la empresa: cuentas por cobrar, inventarios, cuentas por pagar, activo fijo y activo total.

*Razones de mercado:* Agrupan a aquellas que sirven para analizar la sobre o subvaluación del precio de la acción de la empresa. Normalmente se incluyen en éstas a las relacionadas con el precio en el mercado de la acción.

CUADRO 3

**TIPOS DE RAZONES FINANCIERAS**

- **LIQUIDEZ:**
Para analizar la capacidad de la empresa de cumplir con sus compromisos de pago a corto plazo

- **APALANCAMIENTO o SOLVENCIA:**
Para analizar la estructura financiera de la empresa y su capacidad de pago a largo plazo

- **RENDIMIENTO o RENTABILIDAD:**
Para medir la capacidad de la empresa de generar utilidades

- **ACTIVIDAD:**
Para analizar la eficiencia de la operación de la empresa

- **MERCADO:**
Para analizar la sobre o subvaluación del precio de la acción de la empresa

Vayamos analizando, pues, las razones financieras en cada uno de estos grupos.

### *Razones financieras de liquidez*

Como ya se dijo, las razones de liquidez se utilizan para analizar la capacidad de la empresa de cumplir con sus compromisos de pago a corto plazo. Por esto, para determinar a las distintas razones de liquidez se parte de los distintos conceptos del activo circulante y del pasivo circulante (cuadro 4).

CUADRO 4

**RAZONES FINANCIERAS DE LIQUIDEZ**

| ACTIVO CIRCULANTE | PASIVO CIRCULANTE |
| --- | --- |
| Activo disponible<br>Cuentas por cobrar<br>Inventario | |
| | Pasivo de largo plazo |
| Activo fijo | |
| | Capital contable |

Las razones financieras específicas más comunes que ayudan a medir la liquidez son las siguientes (cuadro 5):

CUADRO 5

**RAZONES FINANCIERAS DE LIQUIDEZ**

Las razones de liquidez se utilizan para analizar la capacidad de la empresa de cumplir con sus compromisos de pago a corto plazo.

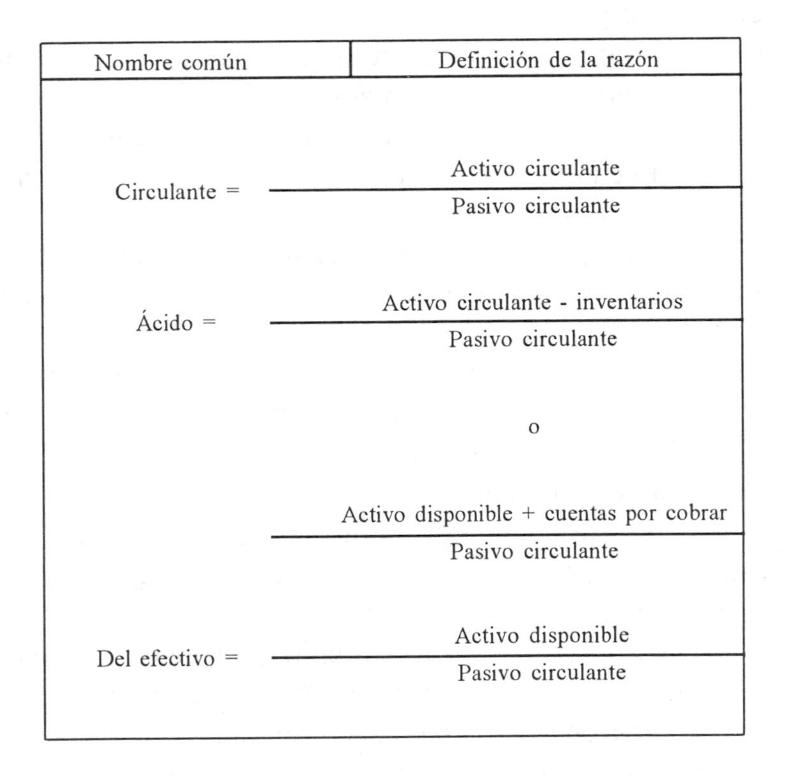

| Nombre común | Definición de la razón |
|---|---|
| Circulante = | $\frac{\text{Activo circulante}}{\text{Pasivo circulante}}$ |
| Ácido = | $\frac{\text{Activo circulante - inventarios}}{\text{Pasivo circulante}}$ |
| | o |
| | $\frac{\text{Activo disponible + cuentas por cobrar}}{\text{Pasivo circulante}}$ |
| Del efectivo = | $\frac{\text{Activo disponible}}{\text{Pasivo circulante}}$ |

*Circulante*: La razón de circulante se define como la relación entre el activo circulante y el pasivo circulante. La simple división de estos dos montos permite visualizar cuántos pesos se tienen en activo circulante por cada peso que se tiene en pasivo circulante, o visto de otra forma, cuánto dinero podría pensarse que se realizará a corto plazo para poder cumplir con las obligaciones que se tendrán en el corto plazo.

$$\text{Circulante} = \frac{\text{Activo circulante}}{\text{Pasivo circulante}}$$

Veamos un ejemplo hipotético (cuadro 6). Tres empresas distintas (A, B y C), todas del mismo sector industrial, tienen razones de circulante de 1.8, de 1.6 y de 1.4. Esto implica que la empresa A tiene en activo circulante 1.8 veces lo que tiene en pasivo circulante, o que tiene 1.8 pesos por cada peso que debe a corto plazo, o que espera realizar 1.8 pesos a corto plazo para cumplir con cada peso que tiene la obligación de pagar en el corto plazo.

En principio, diríamos que la empresa que tiene la mejor liquidez de las tres es la empresa A, ya que su razón de circulante es la mayor, lo que implica que es la más protegida de las tres. Sin embargo, vale la pena hacer énfasis en que se dijo "en principio", ya que una razón de circulante demasiado grande también es mala. Una razón de circulante muy grande implica que se tiene muy poca deuda de corto plazo, deuda que en un momento dado puede ser relativamente barata, y que no se está aprovechando.

¿Existe una relación de circulante óptima? En definitiva no. Algunas razones son más generales; otras son más específicas dependiendo del sector industrial del que se esté analizando. En el caso de la razón de circulante se trata de un parámetro que variará mucho dependiendo del sector del que se trate. Sin embargo, si bien podemos decir que la mayor es siempre mejor, también queremos volver a insistir en que una razón de circulante demasiado grande es mala.

*Ácido*: La famosa razón o prueba del ácido es probablemente la razón financiera de liquidez más común. Se trata de una prueba de liquidez más estricta que la razón de circulante. A diferencia de la razón de circulante, en la del ácido se restan los inventarios al activo circulante en el numerador, dividiéndose todo esto una vez más entre el pasivo circulante. Otra forma de definirla para llegar al mismo resultado sería poniendo la suma del activo disponible más las cuentas por cobrar en el numerador y dividiendo todo entre el pasivo circulante.

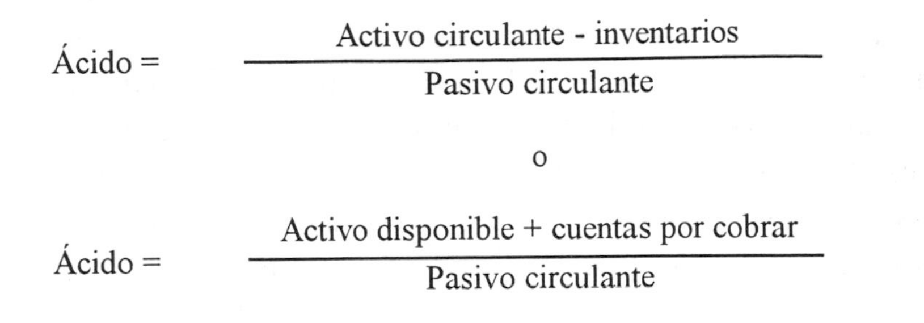

$$\text{Ácido} = \frac{\text{Activo circulante - inventarios}}{\text{Pasivo circulante}}$$

o

$$\text{Ácido} = \frac{\text{Activo disponible + cuentas por cobrar}}{\text{Pasivo circulante}}$$

Pero, ¿por qué se eliminan los inventarios en el numerador? Básicamente porque es ésta la partida menos líquida en el activo circulante. Incluso, en un caso de emergencia o quiebra, la realización del inventario al valor que se señala en libros es poco probable. Otra razón para su eliminación es la dificultad que en ocasiones puede implicar darle un valor al inventario en la empresa.

Regresemos a nuestro ejemplo hipotético (cuadro 6). De nuestras tres empresas, la A tiene una razón del ácido de 1.2, la B de 1.4 y la C de 1.2. ¿Qué implica esto? Con base en la prueba del ácido, la empresa que tiene la mejor liquidez es la B, ya que tiene la razón más grande.

CUADRO 6

**EJEMPLO DE RAZONES FINANCIERAS DE LIQUIDEZ**

| | EMPRESA "A" | EMPRESA "B" | EMPRESA "C" |
|---|---|---|---|
| Circulante | 1.8 | 1.6 | 1.4 |
| Ácido | 1.2 | 1.4 | 1.2 |
| Del efectivo | 0.6 | 0.8 | 1.0 |

¿Cuándo debemos hacerle caso a la razón de circulante y cuándo a la del ácido para medir la liquidez de la empresa? Esto dependerá de la capacidad de hacer líquido el inventario. Si el inventario de la corporación es de fácil realización, entonces la razón de circulante puede darnos suficiente información sobre la liquidez. Sin embargo, si el inventario no es de fácil realización, o simplemente se quiere ser más estricto en la medida de liquidez, entonces la razón o prueba del ácido puede ser un mejor parámetro.

Un parámetro mínimo muy utilizado en los negocios sobre la razón del ácido es 1.0. Si la razón del ácido es menor a la unidad normalmente se dice que es bastante probable que la empresa analizada pueda tener problemas de liquidez. Un razón del ácido mayor a 1.0 implicaría en principio que es poco probable que la empresa vaya a tener dificultades para cumplir con sus compromisos de corto plazo. Esta referencia de 1.0 no es una medida estadística ni comprobada científicamente. Simplemente es una parámetro utilizado comúnmente en los negocios.

*Del efectivo*: Ésta puede considerarse la razón financiera de liquidez más estricta. Simplemente consiste en dividir el activo disponible de la empresa entre el pasivo circulante. Es decir, se trata de medir la capacidad de pago prácticamente inmediata que tiene la empresa.

$$\text{Del efectivo} = \frac{\text{Activo disponible}}{\text{Pasivo circulante}}$$

Sobre nuestro ejemplo hipotético (cuadro 6), podemos ver que la razón del efectivo es de 0.6 en la empresa A, de 0.8 en B, y de 1.0 en C. Si bien, con base en la razón de circulante podemos decir que la más líquida es A, y con base en la razón del ácido podemos decir que la más líquida es B, también podemos decir, con base en la razón del efectivo, que la empresa que tiene la liquidez de forma inmediata más grande es la C. De la misma manera, dependiendo de la capacidad de convertir en dinero el inventario y las cuentas por cobrar, la razón del efectivo puede cobrar importancia, ya que la realización del activo disponible para cumplir con los compromisos de corto plazo es inminente.

Si se observa en forma integral el ejemplo del cuadro 6, se puede decir que la empresa con la mejor liquidez es la A, ya que tiene la razón de circulante más grande. Sin embargo, si el inventario no es considerado fácil de realizar, entonces valdría la pena basarse en la razón del ácido y la más líquida sería la empresa B. Por último, hablando de la liquidez inmediata, valdría la pena basarse en la razón del efectivo, siendo la empresa C la que tiene la razón de más alta.

Sobre el mismo ejemplo del cuadro 6, si ahora imagina que las razones presentadas son de una misma empresa pero de tres periodos distintos (siendo A el periodo 1, B el periodo 2 y C el periodo 3), podría decirse que la liquidez en general de la empresa ha caído (circulante de 1.8 a 1.4). Sin embargo, esta liquidez ha caído debido a que se ha reducido la participación del inventario y de las cuentas por cobrar en el activo circulante (el inventario era 0.6 en el año 1 al igual que las cuentas por cobrar, siendo para el año 3 de solamente 0.2 cada uno de estos rubros).

Como se puede ver, *las razones financieras dan parámetros de análisis muy rápidos, concretos y perfectamente comparables entre sí. Con práctica, imaginación y relacionando adecuadamente las distintas razones financieras se puede inferir mucho de la situación financiera de la empresa.*

## *Razones financieras de apalancamiento o solvencia*

Como se había dicho anteriormente, las razones financieras de apalancamiento o solvencia sirven para analizar la estructura financiera de la empresa y su capacidad de pago a largo plazo. Por esto, en esta categoría se relacionan todas aquellas razones que tienen que ver con el pasivo de la empresa y con la capacidad de darle servicio a esta deuda (cuadro 7).

Las razones financieras específicas más comunes que ayudan a medir el apalancamiento o solvencia son las siguientes (véase cuadro 8):

*Apalancamiento*: La razón financiera del apalancamiento en la empresa, o simplemente el apalancamiento financiero, es la relación de dividir el pasivo total entre el capital contable. Lo que indica es la relación deuda a capital, o financiamiento ajeno a financiamiento propio, o

CUADRO 7

**RAZONES FINANCIERAS DE APALANCAMIENTO O SOLVENCIA**

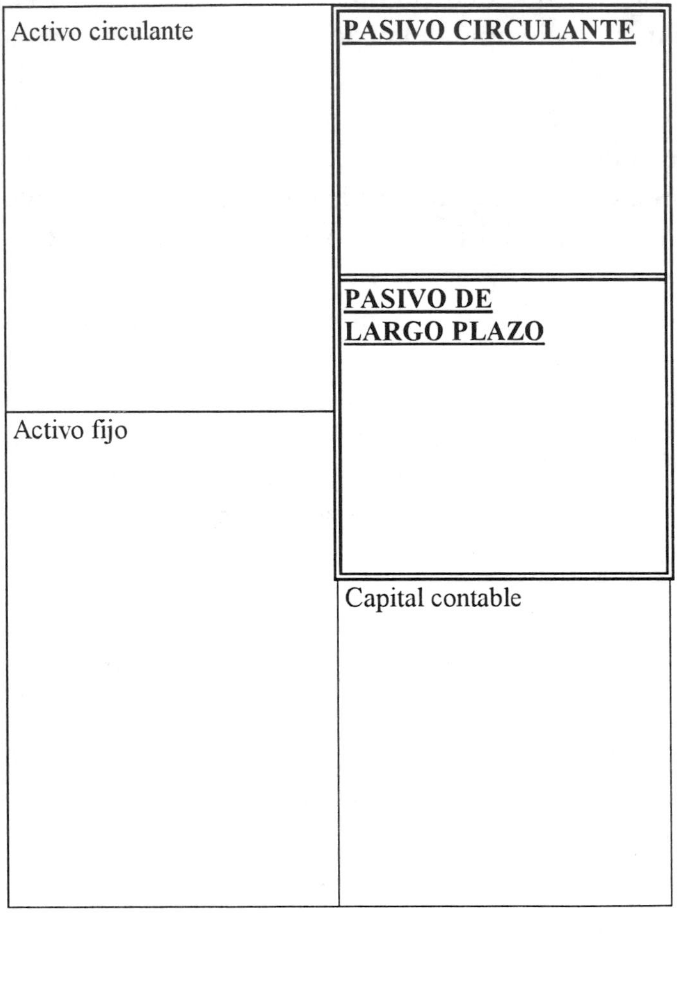

| | |
|---|---|
| Activo circulante | **PASIVO CIRCULANTE** |
| | **PASIVO DE LARGO PLAZO** |
| Activo fijo | |
| | Capital contable |

recursos externos a recursos propios. La razón del apalancamiento indica cuánto se debe a personas externas a la empresa por cada peso que tienen invertido los accionistas.

$$\text{Apalancamiento} = \frac{\text{Pasivo total}}{\text{Capital contable}}$$

CUADRO 8

**RAZONES FINANCIERAS DE APALANCAMIENTO O SOLVENCIA**

Para analizar la estructura financiera de la empresa y su capacidad de pago a largo plazo

| Nombre común | Definición de la razón |
|---|---|
| Apalancamiento = | $\frac{\text{Pasivo total}}{\text{Capital contable}}$ |
| Endeudamiento = | $\frac{\text{Pasivo total}}{\text{Activo total}}$ |
| Cobertura = | $\frac{\text{Utilidad de operación}}{\text{Intereses a cargo}}$ |
| Compromisos de pago a corto plazo = | $\frac{\text{Pasivo de largo plazo}}{\text{Capital contable}}$ |
| Capitalización = | $\frac{\text{Pasivo de largo plazo}}{\text{Capital contable}}$ |
| Riesgo en moneda extranjera = | $\frac{\text{Pasivo en moneda extranjera}}{\text{Pasivo total}}$ |

Veamos un ejemplo hipotético (cuadro 9). Se tienen las razones financieras de tres empresas de un mismo sector industrial (A, B y C). La empresa A tiene una razón de apalancamiento de 0.4, la B una de 1.0 y la C una 2.0. Esto implica que la empresa A tiene un pasivo total (tanto a corto como a largo plazo) de 40 centavos por cada peso que se tiene de patrimonio de los accionistas en el capital contable.

¿Cuál de las tres empresas presenta una mejor razón de apalancamiento? En principio la empresa A, ya que tiene la menor relación de deuda a capital, es decir, es la que debe menos en relación con el

CUADRO 9

**EJEMPLO DE RAZONES FINANCIERAS DE APALANCAMIENTO O SOLVENCIA**

| | EMPRESA "A" | EMPRESA "B" | EMPRESA "C" |
|---|---|---|---|
| Apalancamiento | 0.40 | 1.00 | 2.00 |
| Endeudamiento | 0.29 | 0.50 | 0.67 |
| Cobertura | 4 | 10 | 2 |
| Capitalización | 0.1 | 0.8 | 0.6 |

patrimonio de los accionistas. Una vez más, una razón de apalancamiento pequeña es lo mejor, sin llegar a los extremos. Un apalancamiento cercano a cero implicaría que la empresa no tiene ninguna deuda, lo que significaría que no está aprovechando ningún tipo de fuente de financiamiento para su operación. Un apalancamiento cercano a cero implicaría que no se tienen deudas con proveedores, es decir, que la empresa compra todo de contado, o que no se tienen deudas con el fisco, es decir que se pagan los impuestos el último día de cada mes y no en el mes siguiente. Todo esto implicaría una empresa que no está aprovechando fuentes de financiamiento que pueden ser relativamente baratas.

Por contra, es claro que una razón de apalancamiento muy grande significa que se debe demasiado, comparado con lo que se tiene invertido por parte de los accionistas.

¿Qué es un apalancamiento sano? Una vez más, sin que haya medidas estadísticas o científicas, se considera en general que una empresa con apalancamiento entre 0.25 y un máximo entre 1.50 y 2.00 es sana. Esto es en lo general. Algunos casos específicos que se salen totalmente de este rango son los bancos. Éstos tienen normalmente niveles de apalancamiento muy superiores, lo cual se considera sano. Después de todo, el negocio de un banco es pedir prestado para posteriormente prestar.

El nombre de apalancamiento viene precisamente del principio físico de la palanca. Al igual que se nos enseñó en las clases de física que una palanca puede ayudarnos a levantar una carga, en las finanzas se dice que el apalancamiento a través de fuentes externas, de deudas, de pasivos, puede ayudar a levantar el negocio.

*Endeudamiento*: La razón del endeudamiento tiene una connotación muy similar a la del apalancamiento. Se define como la relación del pasivo total entre el activo total. Si el apalancamiento señalaba cuánto se debía por cada peso que tenían los accionistas, la razón financiera del endeudamiento señala cuánto se debe por cada peso que se tiene en activos, o en otras palabras, cuánto de nuestros activos se debe a fuentes externas.

$$\text{Endeudamiento} = \frac{\text{Pasivo total}}{\text{Activo total}}$$

La razón del endeudamiento es prácticamente un sinónimo del apalancamiento financiero. Si bien no son idénticos, sí son directamente proporcionales. A cada apalancamiento financiero le corresponde una razón de endeudamiento.

En nuestro ejemplo hipotético del cuadro 9, se muestran las razones de endeudamiento para cada una de las tres empresas, y que corresponden al apalancamiento presentado. Así, el endeudamiento de la empresa A es 0.29, el de B es 0.50 y el de C es 0.67. Su relación es directamente proporcional al apalancamiento.

*Cobertura*: La razón de cobertura se define como la utilidad de operación entre los intereses a cargo. Esto es, se busca determinar cuántas veces se podrían pagar los intereses a cargo de la empresa con la utilidad de operación generada.

$$\text{Cobertura} = \frac{\text{Utilidad de operación}}{\text{Intereses a cargo}}$$

Mientras mayor sea esta razón implica que la empresa tiene una capacidad mayor para, a través de la utilidad o riqueza que genera a partir de la operación, cumplir con el servicio de la deuda contraída. En un momento dado, una empresa más apalancada que otra, pero con mejor cobertura, puede ser preferible que una con poco apalancamiento, pero que no genera la suficiente riqueza como para cubrir los intereses de su deuda.

En el ejemplo del cuadro 9, la empresa B es la que tiene la mejor cobertura ya que con la utilidad de operación puede cubrir hasta 10 veces los intereses de su deuda. ¿Qué sería preferible, una empresa como la A con el menor apalancamiento pero con baja cobertura o una empresa B con un apalancamiento menos bueno pero con una gran cobertura?

*Compromisos de pago a corto plazo*: Con esta razón financiera se determina la proporción del pasivo total que se tiene a corto plazo.

$$\text{Compromisos de pago a corto plazo} = \frac{\text{Pasivo de corto plazo}}{\text{Pasivo total}}$$

La importancia de esta razón radica en que mientras mayor sea ésta, la presión sobre el corto plazo será mayor, por tratarse fundamentalmente de deudas a corto plazo. Por ejemplo, si se piensa en dos empresas, una de ellas con un apalancamiento menor, pero con una relación alta de pasivos de corto plazo, su problema puede no estar en el nivel total de apalancamiento, como sí en el hecho de que la baja deuda se tendrá que cubrir en el corto plazo, provocando presiones inmediatas sobre el flujo de la empresa.

*Capitalización*: La razón financiera de capitalización tiene por objeto mostrar el nivel de apalancamiento pero a largo plazo. Como se puede ver en su definición, esta razón es la división del pasivo de largo plazo entre el capital contable.

$$\text{Capitalización} = \frac{\text{Pasivo de largo plazo}}{\text{Capital contable}}$$

La razón de capitalización se parece mucho a la de apalancamiento, que es la relación del pasivo total entre el capital contable. La gran diferencia es que en la de capitalización sólo se considera el pasivo de largo plazo en el numerador. De esta forma tendremos una idea del nivel de endeudamiento que tiene la empresa, pero a largo plazo.

En nuestro ejemplo del cuadro 9, la empresa A tiene una capitalización de 0.1, la B lo tiene de 0.8, y la C lo tiene de 0.6. Si relacionamos tanto el apalancamiento de este mismo ejemplo, como la capitalización, encontramos que la empresa A tiene el menor apalancamiento (0.4), es decir, la menor relación de deuda total. Sin embargo, su capitalización es baja (0.1), lo que quiere decir que la deuda de largo plazo es pequeña en comparación con la de corto plazo. Por contra, la empresa B tiene un apalancamiento mayor (1.0), pero su capitalización también es más grande (0.8), por lo que su deuda en general es de largo plazo, implicando una presión menor en cuanto al tiempo de su exigibilidad.

*Riesgo en moneda extranjera*: Por último, la relación pasivo en moneda extranjera a pasivo total es una buena razón a cuidar cuando existe incertidumbre cambiaria. Cuando en un país el tipo de cambio no es estable, sufriendo fuertes sobre y subvaluaciones, así como la posibilidad de devaluaciones bruscas, esta razón ayuda a medir el riesgo que se tiene debido a que se está expuesto a moneda extranjera en el pasivo.

### *Razones financieras de rentabilidad o rendimiento*

Como ya se comentó, las razones financieras de rentabilidad o rendimiento sirven para medir la capacidad de la empresa de generar utilidades. Por esto, en este grupo de razones financieras se incluye la relación de la utilidad contra diferentes denominadores.

Las razones de rentabilidad o rendimiento se dividen en dos grandes grupos: aquellas que relacionan la utilidad con las ventas y aquellas que relacionan la utilidad con los recursos invertidos.

Las razones financieras específicas más comunes que ayudan a medir la rentabilidad o rendimiento con respecto a las ventas son las siguientes (véase cuadro 10):

*Margen bruto de ventas*: Es la relación entre la utilidad bruta y las ventas netas. Si el margen bruto de ventas es alto, o ha tendido a crecer,

CUADRO 10

**RAZONES FINANCIERAS DE RENTABILIDAD O RENDIMIENTO**

Para medir la capacidad de la empresa de generar utilidades.

Con respecto a ventas:

| Nombre común | Definición de la razón |
|---|---|
| Margen bruto de ventas = | $\frac{\text{Utilidad bruta}}{\text{Ventas}}$ |
| Margen operativo de ventas = | $\frac{\text{Utilidad de operación}}{\text{Ventas}}$ |
| Margen neto de ventas = | $\frac{\text{Utilidad neta}}{\text{Ventas}}$ |

Con respecto a los recursos invertidos:

| Nombre común | Definición de la razón |
|---|---|
| Retorno sobre la inversión = | $\frac{\text{Utilidad neta}}{\text{Activo total promedio}}$ |
| Retorno sobre capital = | $\frac{\text{Utilidad neta}}{\text{Capital contable promedio}}$ |

se debe solamente a tres posibles variables: al volumen de ventas y producción, al precio de venta, y al costo de producción.

$$\text{Margen bruto de ventas} = \frac{\text{Utilidad bruta}}{\text{Ventas netas}}$$

*Margen operativo de ventas*: Es la relación entre la utilidad de operación y las ventas netas. Si el margen operativo de ventas es alto, o ha tendido a crecer, se puede deber solamente a dos variables: la utilidad bruta y los gastos de operación (gastos de administración y venta).

$$\text{Margen operativo de ventas} = \frac{\text{Utilidad de operación}}{\text{Ventas netas}}$$

*Margen neto de ventas*: Es la relación entre la utilidad neta y las ventas netas. Si el margen neto de ventas es alto, o ha tendido a crecer, se puede deber solamente a tres variables: la utilidad de operación, el costo integral de financiamiento y la provisión de impuestos.

$$\text{Margen neto de ventas} = \frac{\text{Utilidad neta}}{\text{Ventas netas}}$$

Veamos el ejemplo hipotético del cuadro 11. Se tiene el margen bruto, el operativo y el neto de ventas para la empresa A y para la B. ¿Cuál de las dos empresas es más rentable? Sin lugar a dudas lo es la B, ya que su margen neto de ventas es de 20% mientras que el de A es de sólo 10%. Es decir, 20 centavos por peso vendido en B son más que sólo 10 centavos por peso vendido en A.

Sin embargo, ¿qué otra información dan las otras razones financieras? Comparando las tres razones financieras se puede determinar un poco más sobre dónde es más eficiente cada empresa, y por qué se tiene las utilidades que se tienen.

¿Cuál de las dos empresas es más eficiente en su proceso productivo? Lo es la empresa B. De cada peso vendido, la empresa A debe invertir 50 centavos en la producción, quedándole una utilidad bruta de sólo 50 centavos, o un margen bruto de ventas de 50%. En cambio, para la empresa B, de cada peso vendido debe invertir solamente 40 centavos en la producción, quedándole una utilidad bruta de 60 centavos, o un margen bruto de ventas de 60%.

¿Cuál de las dos empresas tiene gastos de operación más bajos? Aquí es la empresa A. Para la empresa B que tiene una utilidad bruta de 60 centavos, se le restarán 30 centavos de gastos de operación, para llegar a una utilidad de operación de 30 centavos o un margen operativo de ventas de 30%. En cambio para la empresa A que tiene una utilidad bruta de 50 centavos, se le restarán 10 centavos de gastos de operación, para llegar a una utilidad de operación de 40 centavos o un margen operativo de ventas de 40%.

CUADRO 11

**EJEMPLO DE RAZONES FINANCIERAS DE RENTABILIDAD O RENDIMIENTO**

| | EMPRESA "A" | EMPRESA "B" |
|---|---|---|
| Margen bruto de ventas | 50 % | 60 % |
| Margen operativo de ventas | 40 % | 30 % |
| Margen neto de ventas | 10 % | 20 % |

| | EMPRESA "A" | EMPRESA "B" |
|---|---|---|
| Retorno sobre la inversión | 10 % | 20 % |
| Retorno sobre capital | 40 % | 30 % |
| Utilidad neta ($) | $10 | $20 |
| Activo total ($) | $100 | $100 |
| Capital contable ($) | $25 | $67 |
| Pasivo total ($) | $75 | $33 |
| Pasivo total / capital contable | 3.0 | 0.5 |

Por último, ¿cuál de las dos empresas tiene un costo integral de financiamiento y una provisión de impuestos más baja? Lo es la empresa B. Para la empresa A que tiene una utilidad de operación de 40 centavos, se le restarán 30 centavos de costo integral de financiamiento y de provisión de impuestos, para llegar a una utilidad neta de 10 centavos o un margen neto de ventas de 10%. En cambio, para la empresa B que tiene una utilidad de operación de 30 centavos, se le restarán sólo 10 centavos de costo integral de financiamiento y de provisión para impuestos, para llegar a una utilidad neta de 20 centavos o un margen neto de ventas del 20%.

Las razones financieras específicas más comunes que ayudan a medir la rentabilidad o rendimiento con respecto a las ventas son las siguientes (véase cuadro 10):

*Retorno sobre la inversión*: Ésta es una de las razones financieras más importantes y gerenciales que existe. Se define como retorno sobre la inversión a la relación de la utilidad neta entre el activo total promedio.

$$\text{Retorno sobre la inversión} = \frac{\text{Utilidad neta}}{\text{Activo total promedio}}$$

El retorno sobre la inversión muestra la generación de riqueza a partir de los activos totales que tiene una empresa. Es decir, evalúa la capacidad del director general para generar utilidades a partir de los recursos que la empresa está poniendo en sus manos.

Ésta es la razón financiera más importante para la alta gerencia de cualquier empresa. Después de todo, se le paga a un directivo para que genere la mayor cantidad de riqueza, utilizando la menor cantidad de recursos posibles, los cuales tienen usos alternativos para otros negocios. Se puede decir que éste es el objetivo que debe tener en mente y en todo momento cualquier alto ejecutivo. Se busca que la dirección aproveche de la mejor manera los activos que se le han facilitado para llevar a cabo su actividad productiva. Si no se logra el máximo beneficio, lo que normalmente ocurre es que se cambia a la persona que se encuentra en la dirección general de la empresa, es decir, se despide al ejecutivo principal.

A la razón de retorno sobre la inversión, también se le conoce como retorno sobre activos. También es común encontrar que se le identifique por sus siglas en inglés, ROI (return on investment) o ROA (return on assets).

*Retorno sobre capital*: A semejanza del retorno sobre la inversión, el retorno sobre capital es una medida de rentabilidad sobre la inversión. Sin embargo, esta razón financiera analiza la generación de utilidades sobre el patrimonio de los accionistas, sobre el capital contable promedio, en vez de hacerlo sobre el total de los activos.

$$\text{Retorno sobre capital} = \frac{\text{Utilidad neta}}{\text{Capital contable promedio}}$$

El retorno sobre capital muestra la generación de riqueza con respecto a la inversión de los accionistas en la empresa, entendida ésta como el capital contable. Es decir, evalúa la riqueza generada sobre la parte del activo que está respaldada con capital contable, y no sobre el total de activos.

A la razón de retorno sobre capital también se le identifica por sus siglas en inglés, ROE (return on equity).

Veamos el ejemplo hipotético del cuadro 11. La empresa A tiene un retorno sobre la inversión del 10%, cuando la B lo tiene del 20%. Por contra, la empresa A tiene un retorno sobre capital del 40%, cuando la empresa B lo tiene del 30%. Es decir, la empresa B tiene mejor retorno sobre la inversión pero peor retorno sobre capital. La empresa A, por contra, tiene mejor retorno sobre capital pero peor retorno sobre la inversión. ¿Cuál de las dos es mejor? ¿Cómo es posible que la empresa A sea mejor en retorno sobre capital pero no en retorno sobre la inversión y la B sea lo contrario? ¿A qué se debe esto?

En definitiva, es más importante el retorno sobre la inversión, ya que su valor depende estrictamente de que la utilización de los activos sea la mejor. En cambio, el retorno sobre capital, aunque depende del tamaño de la utilidad también depende del grado de apalancamiento.

Continuemos con el ejemplo del cuadro 11. Supongamos que la empresa A tiene una utilidad de $10 y un activo total de $100, para obtener un retorno sobre la inversión del 10%. En el caso de la empresa B se tiene una utilidad de $20 y un activo total de $100, para obtener un retorno sobre la inversión del 20%.

Con estos supuestos se puede determinar el tamaño, o proporción, del capital contable. En el caso de la empresa A, si el retorno sobre el capital es del 40%, o 0.40, y esto es igual a la relación utilidad neta entre capital contable, o $10 entre capital contable, entonces despejando el capital contable arrojaría un valor de $25 ($10 entre 0.40). Con esto se puede definir, por diferencia, el pasivo total, que sería de $75 ($100 menos $25). Por último, dividiendo el pasivo entre el capital contable ($75 entre $25) se establece que el apalancamiento es de 3.0.

De la misma manera se puede hacer el cálculo para la empresa B. Si el retorno sobre el capital es del 30%, o 0.30, y esto es igual a la relación utilidad neta entre capital contable, o $20 entre capital contable, entonces despejando el capital contable arrojaría un valor de $67 ($20 entre 0.30). Con esto se puede definir, por diferencia, el pasivo total, que sería de $33 ($100 menos $67). Por último, dividiendo el pasivo entre el capital contable ($33 entre $67) se establece que el apalancamiento es de 0.5.

Como se puede ver, la empresa A está mucho más apalancada que la empresa B. Por esto es que la empresa A puede lograr un retorno sobre la inversión tan atractivo a pesar de no tener una utilidad tan alta. Si la empresa B incrementara su apalancamiento, su retorno sobre la inversión no cambiaría, y en cambio sí incrementaría enormemente su retorno sobre capital.

*Se puede concluir que el retorno sobre la inversión es un sinónimo de qué tan buen negocio es la empresa, de qué tan buenas decisiones gerenciales se han tomado, de qué tan buen director general se tiene al frente de la corporación. Mantener un buen retorno sobre la inversión, para el presente y para el futuro esperado, es una de las condiciones necesarias para que una empresa sea negocio.*

### *Razones financieras de actividad*

Las razones financieras de actividad sirven para analizar la eficiencia de la operación de la empresa. Por esto consideran lo relacionado con la inversión en el activo de la empresa: cuentas por cobrar, inventario, activo fijo y activo total. También consideran lo relacionado con las cuentas por pagar (véase cuadro 12).

Las razones financieras específicas más comunes que ayudan a analizar la actividad son las siguientes (cuadro 13):

*Rotación de cartera*: Se define como la relación entre las ventas anuales y las cuentas por cobrar promedio.

$$\text{Rotación de cartera} = \frac{\text{Venta anual}}{\text{Cuentas por cobrar promedio}}$$

CUADRO 12

**RAZONES FINANCIERAS DE ACTIVIDAD**

| ACTIVO CIRCULANTE | Pasivo circulante |
|---|---|
| Activo disponible | Cuentas por pagar |
| Cuentas por cobrar | |
| Inventario | Pasivo de largo plazo |
| ACTIVO FIJO | |
| Activo fijo neto | |
| | Capital contable |

Mientras mayor sea la rotación de cartera se puede decir que se tienen menos cuentas por cobrar en proporción con las ventas. En principio, se busca que la rotación sea lo más alta posible, lo que implicaría que se está cobrando en menor tiempo.

*Días de cartera*: Se definen como las cuentas por cobrar promedio por 360 y entre la venta anual. En otras palabras, se trata de la multiplicación del inverso de la rotación por 360, o simplemente la división de 360 entre la rotación.

## CUADRO 13

**RAZONES FINANCIERAS DE ACTIVIDAD**

Para analizar la eficiencia de la operación de la empresa.

| Nombre común | Definición de la razón |
|---|---|
| Rotación de cartera = | $\frac{\text{Venta anual}}{\text{Cuentas por cobrar promedio}}$ |
| Días de cartera = | $\frac{\text{Cuentas por cobrar promedio * 360}}{\text{Venta anual}}$ |
| Rotación de inventario = | $\frac{\text{Costo anual}}{\text{Inventario promedio}}$ |
| Días de inventario = | $\frac{\text{Inventario promedio * 360}}{\text{Costo anual}}$ |
| Rotación de cuentas por pagar = | $\frac{\text{Compra anual}}{\text{Cuentas por pagar promedio}}$ |
| Días de cuentas por pagar = | $\frac{\text{Cuentas por pagar promedio * 360}}{\text{Compra anual}}$ |
| Rotación del activo total = | $\frac{\text{Venta anual}}{\text{Activo total promedio}}$ |
| Rotación del activo fijo = | $\frac{\text{Venta anual}}{\text{Activo fijo promedio}}$ |

$$\text{Días de cartera} = \frac{\text{Cuentas por cobrar promedio * 360}}{\text{Venta anual}}$$

o

$$\text{Días de cartera} = \frac{360}{\text{Rotación de cartera}}$$

De esta manera, a mayor rotación corresponden menores días de cartera, y a menor rotación corresponden más días de cartera.

En el ejemplo hipotético del cuadro 14, se tienen algunas razones financieras de actividad de la empresa A, B y C. Para empezar, se tiene la rotación de cartera de cada una: 6 para la empresa A, 12 para B y 24 para C. También se tienen los días de cartera, siendo 60 para A, 30 para B, y 15 para C. Los días de cartera equivalen a 360 entre la rotación, por ejemplo, 360 entre 6 para el caso de A que tiene 60 días. También se puede plantear que la división de 360 entre los días de cartera da la rotación equivalente.

CUADRO 14

**EJEMPLO DE RAZONES FINANCIERAS DE ACTIVIDAD**

| | EMPRESA "A" | EMPRESA "B" | EMPRESA "C" |
|---|---|---|---|
| Rotación de cartera | 6 | 12 | 24 |
| Días de cartera | 60 | 30 | 15 |
| Rotación de inventario | 8 | 15 | 4 |
| Días de inventario | 45 | 24 | 90 |
| Rotación de activo total | 0.4 | 0.8 | 0.6 |
| Rotación de activo fijo | 1.4 | 1.0 | 1.2 |

Se ve claramente que la empresa C tiene la mayor rotación y por lo tanto los menores días de cartera. Si bien en principio se puede decir que ésta es la empresa con la mejor cobranza, también aquí no necesariamente cobrar rápido es lo mejor. Es posible que la empresa C cobre tan rápido que eso le pueda estar implicando perder clientes, es decir, ventas. En otras palabras, el tener la mayor rotación y los menores días de cartera no necesariamente es la mejor política de cuentas por cobrar.

*Rotación del inventario*: La rotación del inventario se define como la relación entre el costo anual y el inventario promedio.

$$\text{Rotación del inventario} = \frac{\text{Costo anual}}{\text{Inventario promedio}}$$

Como se puede ver, su definición básica es similar a la rotación de cartera. La diferencia radica fundamentalmente en la base de comparación. Para la rotación de cartera se toman en cuenta las ventas, ya que tanto las cuentas por cobrar como la venta están valuadas al precio de venta. Además, las ventas provocan una cuenta por cobrar. En cambio, para la rotación del inventario se toma en cuenta el costo, ya que tanto el inventario como el costo están valuados a costo, además de que el inventario se convertirá en costo.

*Días de inventario*: Su definición es el inventario promedio por 360 y entre el costo anual. También aquí se puede decir que los días de inventario son igual a 360 entre la rotación del inventario.

$$\text{Días de inventario} = \frac{\text{Inventario promedio} * 360}{\text{Costo anual}}$$

o

$$\text{Días de inventario} = \frac{360}{\text{Rotación de cartera}}$$

También de la misma forma que con la cartera, una rotación mayor del inventario implica menor número de días de inventario, y viceversa.

*Rotación de cuentas por pagar*: De la misma forma, la rotación de cuentas por pagar es la relación entre la compra anual y las cuentas por pagar promedio.

$$\text{Rotación de cuentas por pagar} = \frac{\text{Compra anual}}{\text{Cuentas por pagar promedio}}$$

*Días de cuentas por pagar*: Su definición es las cuentas por pagar promedio por 360 y entre la compra anual. También aquí se puede decir que los días de cuentas por pagar son igual a 360 entre la rotación de cuentas por pagar.

$$\text{Días de cuentas por pagar} = \frac{\text{Cuentas por pagar promedio} * 360}{\text{Costo anual}}$$

o

$$\text{Días de cuentas por pagar} = \frac{360}{\text{Rotación de cuentas por pagar}}$$

También de la misma forma que con la cartera y el inventario, una rotación mayor de las cuentas por pagar implica menor número de días de cuentas por pagar, y viceversa.

*Rotación del activo total*: Se define como la venta anual entre el activo total promedio.

$$\text{Rotación del activo total} = \frac{\text{Venta anual}}{\text{Activo total promedio}}$$

Lo que muestra esta razón es la utilización del activo total para generar ventas. Por ejemplo, si se tiene un negocio con márgenes de utilidad pequeños, esta razón financiera se vuelve importante, ya que lo que será fundamental en el negocio, dado que el margen es pequeño, serán las ventas que se puedan generar con el mismo activo total.

*Rotación del activo fijo*: Se define como la venta anual entre el activo fijo promedio.

$$\text{Rotación del activo fijo} = \frac{\text{Venta anual}}{\text{Activo fijo promedio}}$$

Lo que muestra esta razón es la utilización del activo fijo para generar ventas. Esta razón financiera es importante sobre todo para aquellas empresas que tienen una alta inversión en activos fijos, y cuya utilización en la operación debe ser cuidada a detalle.

En nuestro ejemplo del cuadro 14 se pueden ver datos hipotéticos de la rotación de activo total y de la rotación de activo fijo para las tres empresas. En el caso de B se tiene la rotación del activo total más alta, es decir, por cada peso invertido en el activo total durante el año se generan 80 centavos de venta.

En lo referente al activo fijo, en el caso de la empresa A se tiene que por cada peso invertido en activo fijo se generan 1.4 pesos de venta.

## *Análisis de tendencias*

Como ya se estuvo diciendo, el objeto de obtener razones financieras en una empresa es para llevar a cabo un análisis que nos permita definir acciones concretas.

Hay varios puntos a tomar en cuenta. Si se obtienen razones financieras para un solo periodo, esto no sirve de mucho. Es necesario contar con razones financieras de varios periodos atrás de tal forma que podamos contar con un marco de comparación sobre la tendencia de las razones. En definitiva, una razón financiera aislada, correspondiente a un solo periodo, dice muy poco. Siempre es necesario un marco de referencia.

Por otro lado, es ideal poder contar con información del sector industrial al que se pertenece, o datos de los principales competidores contra los que se pueda comparar uno. De antemano sabemos que esta información puede no ser fácil de obtener, especialmente en algunos giros de negocio. Sin embargo, buscarla a manera de parámetro de comparación puede ser una tarea importante.

El cuadro 15 muestra lo que podrían ser los resultados de haber obtenido razones financieras para un análisis de una empresa hipotética. En este caso se presentan varias razones financieras para la empresa analizada, correspondientes a los años de 1995, 1996 y 1997. También se tiene información sobre el sector industrial para 1997.

La base para obtener esta información son los estados financieros. Lo ideal sería obtener las razones financieras a partir de saldos promedio en el año, para el caso de razones que incluyen partidas del balance general. Por ejemplo, la razón de circulante se puede obtener a partir del promedio del activo circulante en el año entre el promedio del pasivo circulante.

CUADRO 15

## EJEMPLO HIPOTÉTICO DE UN ANÁLISIS CON RAZONES FINANCIERAS

Se tienen las siguientes razones financieras de cierta compañía para los últimos tres años y la información del sector industrial:

| *Razón financiera* | *1995* | *1996* | *1997* | *Sector Industrial 1997* |
|---|---|---|---|---|
| Circulante | 1.10 | 0.92 | 0.87 | 1.00 |
| Ácido | 0.70 | 0.71 | 0.69 | 0.60 |
| Rotación cuentas x cobrar | 6.00 | 6.80 | 7.70 | 10.00 |
| Rotación del activo fijo | 2.20 | 2.20 | 1.60 | 2.40 |
| Apalancamiento | 1.00 | 1.00 | 1.00 | 1.00 |
| Capitalización | 0.40 | 0.30 | 0.20 | 0.40 |
| Cobertura | 4 | 5 | 6 | 4 |
| Margen bruto de venta | 30% | 24% | 25% | 37% |
| Margen neto de venta | 13% | 9% | 10% | 18% |

Algo valioso en un análisis de razones financieras es que en un cuadro muy resumido, como el presentado, se puede tener un buen "vistazo" de como está la empresa. Prácticamente se tiene en ese cuadro un resumen de los estados financieros. Sin embargo, como ya se había dicho, todas estas razones financieras presentan medidas relativas, no absolutas, por lo que su lectura y análisis está en función de un proceso de comparación entre ellas.

Hagamos un análisis de lo que nos dicen estas razones financieras. Empecemos con lo relacionado a *liquidez*.

Se puede observar que la razón de circulante ha tendido a disminuir, habiendo pasado de 1.10 en 1995 a 0.87 en 1997. Asimismo, se encuentra por debajo del promedio de la industria en 1997 que es 1.00. Es claro que ha perdido liquidez esta empresa en los últimos tres años, estando en este momento incluso con una liquidez inferior a la del sector industrial al que pertenece. ¿Por qué se ha perdido esta liquidez?

Si observa la razón del ácido, ésta se ha mantenido prácticamente constante de 1995 a 1997, habiendo pasado de 0.70 a 0.71 y a 0.69. Esta razón del ácido, además de mantenerse constante, es superior a la del sector industrial. ¿Qué implica esto? Básicamente que la liquidez que ha perdido la empresa se debe a que los inventarios han disminuido. En 1995 éstos implicaban 40 centavos por cada 1.10 pesos que se tenían en el activo circulante (1.10 menos 0.70). Para 1997 los inventarios sólo implican 18 centavos por cada 87 centavos que se tienen en el activo circulante (0.87 menos 0.69).

Es decir, la liquidez que ha perdido esta empresa se puede identificar principalmente con una reducción del inventario, lo que ha implicado que la razón de circulante haya tendido a disminuir, encontrándose por debajo del sector, mientras que la del ácido se ha mantenido constante, encontrándose por arriba del sector.

¿Qué hay con respecto a las razones de *actividad*?

Tenemos en este cuadro tres razones de actividad: rotación de cuentas por cobrar, rotación del inventario, y rotación del activo fijo.

La rotación de cartera se ha incrementado en el tiempo. De 6.00 que era en 1995, para 1997 se ubica en 7.70. Este incremento en la rotación implica menores días de cartera, lo que a su vez significa que se está cobrando en promedio más rápido. Sin embargo, al comparar esto con la industria podemos observar que la rotación de cartera es de 10.00, es decir, superior al de la empresa analizada. Esto implica que, si bien se ha tendido a incrementar la rotación de cartera, lo que significa que se han reducido las cuentas por cobrar en forma proporcional a las ventas, no se han alcanzado aún los niveles de la industria, lo que significa que en promedio nuestros competidores cobran más rápido que nosotros.

Por su lado, la rotación del inventario también ha tendido a crecer, habiendo pasado de 10.00 a 11.90. Esto implica que se ha tendido a bajar el inventario en forma proporcional con el costo. Adicionalmente, la rotación del inventario de la empresa analizada es superior a la rotación del sector industrial al que se pertenece, lo que implica que se tienen menores días en promedio de inventario que el promedio de los competidores.

Por último, la rotación del activo fijo se ha reducido de 2.20 a 1.60 en el periodo 1995 a 1997. Asimismo, esta rotación es menor a la que presenta el sector industrial. Esto implica que la generación de venta a partir de cada peso invertido en activo fijo es menor en la empresa analizada que en el sector industrial. Esto se puede deber a que las ventas han caído y no se ha reducido el activo fijo, o que hay una sobreinversión de activo fijo para la venta que se está realizando. En cualquiera de los casos, se trata de una situación que debiera analizarse con detalle por la gerencia, ya que la utilización de los activos fijos no es la adecuada.

¿Que hay con respecto a las razones de *apalancamiento o solvencia*?

Se tienen en este caso tres razones de este tipo: apalancamiento, capitalización y cobertura.

El apalancamiento de esta empresa ha sido constante de 1.00. Es decir, se tiene, y se ha tenido, lo mismo en pasivo total que en capital contable. Asimismo, la industria también presenta un apalancamiento de 1.00. Con esto podemos decir que el grado de deuda que mantiene esta empresa ha sido constante y similar al de la industria, lo que nos indica que no hay razón para pensar que está sobre o subendeudada.

Por otro lado, la razón de capitalización ha tendido a bajar de 0.40 a 0.20, siendo que la industria se encuentra en 0.40. Esto implica, que la deuda a largo plazo se ha reducido prácticamente a la mitad. Si el apalancamiento ha sido constante, pero la capitalización ha tendido a disminuir, implica que la deuda no se ha incrementado, pero su composición si ha cambiado, siendo ahora mayor la porción a corto plazo. Esto significa un problema de estructura financiera, aunque no de apalancamiento. No se debe mucho, el problema pudiera ser que ahora se debe a corto plazo.

Por último, la cobertura ha tendido a aumentar, habiendo pasado de 4 a 6, siendo que la industria muestra una cobertura de 4. Es decir, la capacidad para hacer frente a los intereses a cargo, a partir de la utilidad de operación, se ha incrementado.

Por último, ¿que hay con respecto a las razones de *rentabilidad o rendimiento*?

Las últimas dos razones financieras son relativas a rentabilidad o rendimiento.

Primero, no hay duda que se tienen problemas en la rentabilidad de la empresa, o en su capacidad de generar riqueza a partir de las ventas. El margen neto de ventas no sólo ha tendido a disminuir de 13% a 10%, sino que la industria en promedio genera un margen neto significativamente mayor: 18%. ¿A qué se debe este problema?

Si analiza el margen bruto de venta, éste ha disminuido de 30% a 25%, siendo además menor al de la industria, que es 37%. En otras palabras, la empresa analizada tiene el problema de que le cuesta producir 12 centavos más caro que al promedio de sus competidores.

Si observa la relación al restar el margen bruto de ventas del margen neto de ventas, puede encontrar que los gastos de operación, el costo integral de financiamiento, y la provisión para impuestos no son el problema en principio. Durante 1995 estos gastos en total representaban 17 centavos (30% menos 13%). En 1996 estos gastos en total representaron 15 centavos, siendo que finalmente en 1997 siguen representando lo mismo. En cambio, el sector industrial tiene por este concepto 19 centavos (37% menos 18%).

El problema de esta empresa está en el costo de la producción, no en los otros rubros del estado de resultados.

*En conclusión*, si relaciona todo lo observado en este cuadro de razones financieras, ¿qué podría sugerir a esta empresa como acciones por llevar a cabo?

En una situación real se tienen otros elementos además de un cuadro de razones financieras como éste para llegar a conclusiones: estados financieros, información operativa complementaria, posibilidad de entrevistarse con los ejecutivos de la empresa, etcétera. Sin embargo, aún y cuando sólo se contara con un cuadro de razones financieras como el mostrado en el cuadro 15, se puede llegar a ciertas conclusiones.

Esta empresa tiene algunos puntos claros donde deben invertirse tiempo y recursos para analizarlos con mayor profundidad: costo de producción, la baja relación ventas a activo fijo, o subutilización de activo fijo, el endeudamiento a corto plazo, y el periodo de cobranza.

Como ya se había dicho, *las razones financieras dan parámetros de análisis muy rápidos, concretos y perfectamente comparables entre sí. Con práctica, imaginación y relacionando adecuadamente las distintas razones financieras se puede inferir mucho de la situación financiera de la empresa.*

## *Análisis de proporciones*

Un método utilizado para analizar en forma integral los estados financieros es a través de proporciones. Esto implica simplemente relacionar los estados financieros, básicamente el balance general y el estado de resultados, definiendo tanto el activo total como las ventas como 100%. Lo atractivo de este análisis es que se identifican fácilmente las proporciones que guardan entre sí las distintas partidas que componen los estados financieros.

Como ejemplo se puede ver el cuadro 16. En él se presentan el balance general y el estado de resultados de una empresa hipotética a través de proporciones.

No olvidemos que este tipo de cálculos los puede llevar a cabo una computadora, y que lo importante es la perspectiva que nos da su presentación para fines de análisis y de toma de decisiones.

## *Razones financieras de mercado*

Las razones financieras de mercado buscan apoyar el análisis con respecto a la sobre o subvaluación del precio de la acción de la empresa. En este caso es importante conocer el precio de mercado de la acción para poderlo relacionar con la utilidad y el capital contable.

Para el cálculo de las razones de mercado se requiere primero de algunas definiciones (véase cuadro 17).

La *utilidad por acción (UPA)* es simplemente la división de la utilidad neta entre el número de acciones. Esto nos indica que parte de la utilidad generada le corresponde a cada acción. No es sinónimo de dividendos, ya que normalmente no se declara toda la utilidad para pago de dividendos. Simplemente es una medida de la riqueza generada por cada acción.

CUADRO 16

## ANÁLISIS DE PROPORCIONES

### ESTADO DE RESULTADOS
(del 1o. de enero al 31 de diciembre)

| | Año 1 | Año 2 | Año 3 |
|---|---|---|---|
| Ventas netas | 100% | 100% | 100% |
| Costo de ventas | 55% | 60% | 63% |
| Utilidad bruta | 45% | 40% | 37% |
| Gastos de operación | 21% | 20% | 21% |
| Utilidad de operación | 24% | 20% | 16% |
| Costo integral de financiamiento | 3% | 3% | 5% |
| Utilidad antes de impuestos | 21% | 17% | 11% |
| Provisión para impuestos | 7% | 6% | 4% |
| Utilidad neta | 14% | 11% | 7% |

### BALANCE GENERAL
(al 31 de diciembre)

| | Año 1 | Año 2 | Año 3 |
|---|---|---|---|
| Activo disponible | 15% | 12% | 5% |
| Cuentas por cobrar | 25% | 23% | 22% |
| Inventario | 20% | 20% | 23% |
| Activo circulante | 60% | 55% | 50% |
| Activo fijo neto | 40% | 45% | 50% |
| Activo total | 100% | 100% | 100% |
| | | | |
| Pasivo circulante | 20% | 30% | 45% |
| Pasivo de largo plazo | 30% | 30% | 25% |
| Pasivo total | 50% | 60% | 70% |
| Capital social | 20% | 15% | 12% |
| Utilidades retenidas | 30% | 25% | 18% |
| Capital contable | 50% | 40% | 30% |
| Suma pasivo más capital | 100% | 100% | 100% |

CUADRO 17

**RAZONES DE MERCADO**

Para analizar la sobre o subvaluación del precio de la acción de la empresa

**Definiciones:**

$$\text{Utilidad por acción (UPA)} = \frac{\text{Utilidad neta}}{\text{Número de acciones}}$$

$$\text{Valor en libros (VL)} = \frac{\text{Capital contable}}{\text{Número de acciones}}$$

Valor de mercado o precio (VM o P) = Precio determinado en el piso de remates por oferta y demanda

| Nombre común | Definición de la razón |
|---|---|
| Múltiplo precio / utilidad = | $\frac{\text{Valor de mercado}}{\text{Utilidad por acción}}$ |
| Múltiplo precio / valor en libros = | $\frac{\text{Valor de mercado}}{\text{Valor en libros}}$ |

El *valor en libros (VL)* es simplemente la división del capital contable, o patrimonio de los accionistas según la contabilidad, entre el número de acciones. Esta medida busca mostrarnos cuál es el valor de la acción si éste lo concretáramos al valor del capital contable.

Por último, el *valor de mercado o precio (VM o P)* es el precio determinado en el piso de remates por oferta y demanda para la acción en cuestión. Si se trata de una empresa que no cotiza en la bolsa de valores, entonces podemos referirnos al precio de mercado que tiene el negocio, con base en el valor que le dan a la empresa posibles compradores del negocio. Obviamente, conocer el valor de mercado en un negocio que no cotiza en la bolsa de valores es mucho más difícil que el de uno que sí lo haga.

Algo que debe observarse sobre estas tres definiciones es que las dos primeras, la utilidad por acción (UPA) y el valor en libros (VL), son valores históricos. Es decir, son valores que dependen de la información presentada en los estados financieros, información que siempre es histórica, que depende de los sucesos pasados. En cambio, la tercer definición, el valor de mercado (VM) o precio (P), es una medida que define el mercado con base en las expectativas futuras del negocio.

¿Cuáles son las razones de mercado y qué nos dicen?

Las razones de mercado también son conocidas como múltiplos, y básicamente se manejan dos tipos.

*Múltiplo precio / utilidad*: Esta razón financiera es la relación entre el valor de mercado de la acción y la utilidad por acción.

$$\text{Múltiplo precio / utilidad} = \frac{\text{Valor de mercado}}{\text{Utilidad por acción}} = \frac{\text{VM o P}}{\text{UPA}}$$

Lo que esta razón financiera o múltiplo nos muestra es cuántas veces el mercado está pagando por la acción en función de la utilidad o riqueza que la empresa ha generado. Mientras mayor sea esta razón implica que se tiene un precio alto o sobrevaluado por la acción, ya que el mercado está pagando demasiado por una empresa que no genera las utilidades correspondientes. Sin embargo, esta sobrevaluación en el precio de la acción no necesariamente es errónea o sin fundamento. No debemos olvidar que el precio en el mercado está en función de las expectativas futuras, y no necesariamente estas expectativas, buenas o malas, se ven reflejadas en la utilidad histórica.

*Múltiplo precio / valor en libros*: Esta razón financiera es la relación entre el valor de mercado de la acción y el valor en libros de la acción.

$$\text{Múltiplo precio / valor en libros} = \frac{\text{Valor de mercado}}{\text{Utilidad en libros}} = \frac{\text{VM o P}}{\text{VL}}$$

Lo que esta razón financiera o múltiplo nos muestra es cuánto está pagando por la acción el mercado sobre lo que se tiene valuado en el capital contable. Mientras mayor sea esta razón implica que se tiene un precio alto o sobrevaluado por la acción, ya que el mercado está pagando demasiado por una empresa que no necesariamente lo respalda con su capital contable. Sin embargo, una vez más, esta sobrevaluación en el precio de la acción no necesariamente es errónea o sin fundamento. También aquí, el precio en el mercado está en función de las expectativas futuras, y no necesariamente estas expectativas, buenas o malas, se ven reflejadas en el capital contable que está compuesto de aportaciones y resultados históricos de la empresa.

## *Apéndice A*

## *El modelo Dupont*

El retorno sobre la inversión (RSI) puede separarse en dos componentes: el margen neto de ventas (MNV) y la rotación del activo total (RAT). En otras palabras, la multiplicación de los elementos del margen neto de ventas y de la rotación del activo total nos arrojan el retorno sobre la inversión.

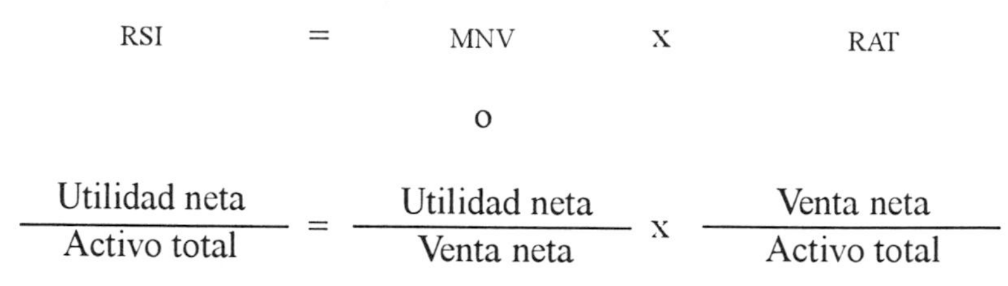

$$\text{RSI} = \text{MNV} \times \text{RAT}$$

o

$$\frac{\text{Utilidad neta}}{\text{Activo total}} = \frac{\text{Utilidad neta}}{\text{Venta neta}} \times \frac{\text{Venta neta}}{\text{Activo total}}$$

A esta separación del retorno sobre la inversión se le conoce como el modelo Dupont, ya que el concepto fue utilizado por primera vez en esta compañía. Pero, ¿cuál es la importancia del modelo Dupont?

Por un lado se debe buscar que el retorno sobre la inversión sea lo más grande posible. ¿Cómo lograrlo? El modelo Dupont propone dos caminos.

CUADRO 18

**MODELO DUPONT**

| Retorno sobre la inversión (RSI) | = | Margen neto de ventas (MNV) | x | Rotación de activo total (RAT) |
|---|---|---|---|---|

$$\frac{\text{Utilidad neta}}{\text{Activo total}} = \frac{\text{Utilidad neta}}{\text{Venta neta}} \times \frac{\text{Venta neta}}{\text{Activo total}}$$

Tradicionalmente la forma de lograr la rentabilidad ha sido a través de un margen sobre ventas muy alto, es decir, que el margen neto de ventas sea grande. Sin embargo, en los cada vez más competidos mercados en que se encuentran el grueso de las empresas, sus rangos de utilidad se han visto limitados. Buscar altos márgenes sobre la venta es, en la mayoría de los casos, cuestión del pasado.

¿Cómo entonces se puede alcanzar la rentabilidad sobre el activo total deseada? Aquí es donde aparece el otro camino. Una rotación del activo total alta puede ayudar en estos casos. Aun cuando el margen neto de ventas es bajo, si se logra una relación ventas a activo total alta, entonces se logrará el retorno sobre la inversión deseado. En otras palabras, si se tiene un margen neto de ventas limitado, aún quedan dos caminos: vender mucho o trabajar con pocos activos totales. Esto ayudaría a la rentabilidad sobre el activo total.

En conclusión, lo que el modelo Dupont sugiere son las siguientes combinaciones:

| | |
|---|---|
| MNV alto y RAT alto | RSI muy alto |
| MNV alto y RAT bajo | RSI bueno |
| MNV bajo y RAT alto | RSI bueno |
| MNV bajo y RAT bajo | RSI malo |

De esta manera se puede ver que existen múltiples formas de llegar a un buen retorno sobre la inversión. Simplemente veamos el siguiente ejemplo, donde a pesar de un margen neto de ventas pequeño se puede mantener el retorno sobre la inversión, gracias a la rotación del activo total.

| MNV | x | RAT | = | RSI |
|---|---|---|---|---|
| 15.0% | x | 1.0 | = | 15% |
| 12.5% | x | 1.2 | = | 15% |
| 10.0% | x | 1.5 | = | 15% |
| 7.5% | x | 2.0 | = | 15% |
| 5.0% | x | 3.0 | = | 15% |

## *Apéndice B*

### *Factores que determinan el éxito gerencial*

¿Es claro cuál es el objetivo de cualquier ejecutivo? Tal como se ha planteado anteriormente, lo que todo ejecutivo debe buscar es maximizar el retorno sobre la inversión de la corporación. Y no sólo el retorno sobre la inversión de este año, sino los esperados para los años futuros. Para todo esto, el ejecutivo de la corporación debe cuidar los factores que le permitan llegar a este objetivo. Después de todo, es posible que su compensación personal, sus bonos de actuación y hasta su permanencia en la empresa dependan de este parámetro.

Al modelo desarrollado lo denominamos "Factores que Determinan el Éxito Gerencial" (cuadro 19). Después de todo, sólo se han organizado los elementos que provocan que el retorno sobre la inversión sea lo más grande posible, así como algunas estrategias generales.

Para incrementar el retorno sobre la inversión se requiere de dos variables: incrementar lo más posible la utilidad y/o reducir lo más posible la inversión en activos.

A su vez, para incrementar la utilidad hay tres factores básicos: incrementar la venta, reducir el costo y/o reducir los gastos. Para reducir el activo hay cuatro factores básicos: reducir el activo dispo-

## CUADRO 19

## FACTORES QUE DETERMINAN EL ÉXITO GERENCIAL

| Retorno sobre la inversion | Componentes del retorno sobre la inversión | Factores generales a cuidar en la empresa | Factores específicos a cuidar en la empresa | Estrategias generales (¿cómo lograrlo?) |
|---|---|---|---|---|
| Se busca incrementar el RSI ¿cómo? | Mayor (+) Utilidad neta | Mayores (+) Ventas | + Volumen de ventas | *Participación de mercado* |
| | | | + Precio de venta | *Diferenciación* |
| | | Menor (-) Costo de producción | - Precios de compra | *Negociación (poco probable)* |
| | | | + Eficiencia en materiales y mano de obra | *Tecnología en materiales, en procesos y en tecnología humana* |
| | | Menores (-) Gastos generales | - Gastos de administración y venta | *Control de gastos* |
| | Menor (-) Activo total | Menor (-) Activo disponible | - Recursos en caja, bancos, e inversiones temporales | *Fácil de llevar a cabo en cualquier momento* |
| | | Menores (-) Cuentas por cobrar | Periodos de cobranza más cortos | *Control de cobranza* |
| | | Menores (-) Inventarios | Programación de materiales y control de piso | *Tecnología en administración de materiales* |
| | | Menor (-) Activo fijo | - Maquinaria<br>- Equipo<br>- Mobiliario<br>- Inmuebles | *Poco viable en el corto plazo* |

Cuadro elaborado por Alberto Calva Mercado.

nible, reducir las cuentas por cobrar, reducir el inventario y/o reducir el activo fijo.

Cada uno de estos factores básicos se puede separar a su vez en factores específicos. Finalmente, se llega a una estrategia general para alcanzar cada uno de estos factores específicos.

¿Para qué sirve este esquema presentado en el cuadro 19? Lo que se busca es que cada ejecutivo de la corporación tenga en mente y en todo momento estas relaciones, los factores críticos y sus estrategias. En realidad son sólo unos cuantos conceptos generales los que debe cuidar cualquier hombre o mujer de empresa para lograr el éxito financiero.

# 5. Administración del capital de trabajo

## *¿Qué es el capital de trabajo?*

*La administración del capital de trabajo es la planeación y control de los recursos de la empresa de corto plazo. Éstos determinan en gran medida la liquidez de la empresa. Una eficiente administración del capital de trabajo puede ser la diferencia entre una empresa que tenga problemas de efectivo y otra que no los tenga.*

*Se entiende por capital de trabajo a lo relacionado con las partidas que componen el activo circulante y el pasivo de corto plazo.* Es decir, se trata de la administración del efectivo, de las inversiones temporales por excedentes de caja, de las cuentas por cobrar y la cobranza, de la inversión en inventarios, de las cuentas por pagar y los pagos a proveedores, y de otros activos y pasivos de corto plazo.

La característica fundamental de todo esto es precisamente el tiempo: el corto plazo. El activo circulante se espera realizar en un plazo menor a un año. El pasivo circulante debe pagarse en un plazo también menor a un año.

El ejecutivo financiero dedica una gran parte de su tiempo a la administración del capital de trabajo. Todos los días se tienen problemas que resolver con respecto a las distintas partidas del activo circulante y del pasivo de corto plazo. Esto a diferencia de lo que sería una inversión en activo fijo, la cual se da esporádicamente en la empresa, y no todos los días. Asimismo, a diferencia del pasivo de largo plazo, que son créditos que se solicitan precisamente para financiar inversiones de largo plazo. De igual forma, lo relacionado con el capital contable —inversiones de accionistas, retiros de capital, dividendos— no se da todos los días. Las decisiones sobre el capital de trabajo y su optimización se dan a diario en la empresa.

## *¿Qué es el capital de trabajo neto?*

*El capital de trabajo neto (CTN) se define* (véase cuadro 1) *como la diferencia entre el activo circulante y el pasivo de corto plazo o pasivo circulante.* Ésta es la forma matemática más clara de definirlo.

CUADRO 1

**DEFINICIÓN DE CAPITAL DE TRABAJO NETO**

| |
|---|
| Activo circulante (AC)<br>(menos) Pasivo circulante o pasivo de corto plazo (PC) |
| (es igual a) Capital de trabajo neto (CTN) |

o

| |
|---|
| Capital de trabajo neto (CTN) es la parte del activo circulante (AC) financiada con fuentes de largo plazo (pasivo de largo plazo (PLP) y capital contable (CC)) |

Capital de trabajo neto = Activo circulante menos pasivo circulante

CTN = AC - PC

Sin embargo, *para tener una definición más clara sobre lo que es y lo que implica este concepto, podríamos decir que el capital de trabajo neto es la parte del activo circulante que está financiada con fuentes de largo plazo (pasivo de largo plazo o capital contable).* Es decir, la parte de la inversión que utilizamos en la operación diaria de la empresa, la parte del inventario, de las cuentas por cobrar y del activo disponible, que estamos financiando con fuentes de largo plazo. Esto implica que de la operación diaria, lo que está apoyado por el capital de trabajo neto no representa para la empresa una presión de pago a corto plazo.

¿Qué ventajas y desventajas tiene un capital de trabajo neto grande o pequeño? ¿Existe un capital de trabajo neto óptimo?

*La ventaja fundamental de un capital de trabajo neto grande, es decir, de un activo circulante fuertemente financiado con fuentes de largo plazo* (véase cuadro 2), *es la seguridad sobre los recursos.* Se podría decir que una empresa que mantiene un capital de trabajo grande puede estar más tranquila en el corto plazo, en la operación diaria, ya que no tiene la presión de tener que pagar sus deudas de corto plazo.

La relación entre el activo circulante, que representa la inversión que se espera convertir en dinero en el corto plazo, y el pasivo circulante, que son las deudas que deben enfrentarse en el corto plazo, es muy grande. Esto hace suponer que con los activos circulantes se podrá cubrir fácilmente el compromiso de los pasivos de corto plazo.

*Una empresa con un capital de trabajo grande se puede considerar una empresa conservadora.* En momentos de crisis, este tipo de empresas tienen una probabilidad mayor de vivir, ya que no tienen una deuda lo suficientemente grande a cubrir en el corto plazo como para ver comprometido su flujo de efectivo en ello.

*La desventaja fundamental de un capital de trabajo neto grande, es decir, de un activo circulante fuertemente financiado con fuentes de largo plazo, es el costo de los recursos.* En principio, las fuentes de financiamiento de largo plazo son más caras, debido al riesgo que representa el plazo. Se puede pensar que una empresa que mantiene un capital de

CUADRO 2

## EL CAPITAL DE TRABAJO NETO GRANDE Y PEQUEÑO

| Empresa 1 con capital de trabajo grande | Empresa 2 con capital de trabajo pequeño |
|---|---|
| $AC_1$, $PC_1$, $PLP_1$, $AF_1$, $CC_1$ | $AC_2$, $PC_2$, $PLP_2$, $AF_2$, $CC_2$ |

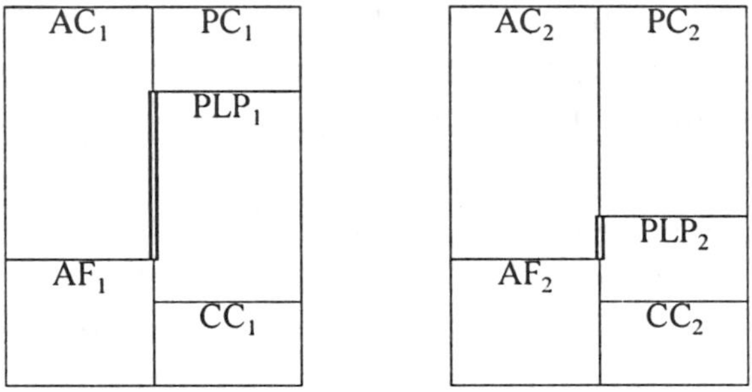

$$AC_1 - PC_1 = CTN_1 \qquad AC_2 - PC_2 = CTN_2$$
$$AC_1 = AC_2$$
$$PC_1 < PC_2$$
$$CTN_1 > CTN_2$$

trabajo grande pudiera no estar utilizando algunas fuentes de financiamiento de corto plazo baratas, como pueden ser los proveedores, algunas líneas de crédito, el financiamiento con los impuestos por pagar, y otros.

*Una empresa con un capital de trabajo pequeño se puede considerar una empresa agresiva* (cuadro 2). Financia su operación con fuentes de financiamiento de corto plazo, baratas en principio, pero con el constante riesgo de que le puede fallar la coordinación entre la realización del activo circulante en el momento en que deba liquidar su pasivo de corto plazo. Si esta coordinación llega a fallar, el bajo costo de la fuente de financiamiento se perderá, ya que se entraría en una situación de retraso en el pago con posibles intereses moratorios, recargos o penas al respecto.

*¿Existe un capital de trabajo neto óptimo?* En principio sí lo hay. Aunque el activo circulante, por definición, representa la parte líquida de la inversión, lo que se espera convertir en dinero en el corto plazo, también es cierto que siempre se mantendrá una porción del activo circulante como inversión constante.

Es decir, el inventario de la empresa puede subir y bajar durante el año, pero en todo momento deberá haber al menos un mínimo de materia prima, de producción en proceso, de producto terminado y de refacciones para soportar la operación mínima de la empresa. Asimismo, en todo momento se tendrá un nivel mínimo, al menos, de cuentas por cobrar, que representarán la venta mínima de la empresa.

De esta manera, *se puede reclasificar el activo circulante en dos grandes partes: el activo circulante constante que es la parte mínima de inversión que requiere la empresa en todo momento, y el activo circulante variable, que es la parte que se incrementa cuando la empresa está en su momento de máxima actividad, pero que por lo mismo es temporal* (cuadro 3).

La relación entre el activo circulante variable y el constante será mayor mientras más fuerte sea la estacionalidad en la operación de la empresa. Si la operación y las ventas son muy constantes durante el año es posible que esta relación sea muy pequeña.

De esta forma, *el capital de trabajo neto, es decir, la cantidad de activo circulante que debe ser financiada con fuentes de largo plazo, debe ser igual al activo circulante constante.* La determinación del capital de trabajo neto óptimo para la corporación está en función de la posibilidad de definir de manera más o menos precisa el activo circulante constante. El activo circulante variable es el que debe ser financiado con el pasivo de corto plazo.

En conclusión, *podrían definirse tres posible situaciones en relación con el capital de trabajo y su financiamiento* (véase cuadro 3). *La situación ideal* es que las fuentes de financiamiento de corto plazo correspondan exactamente al activo circulante variable, siendo el activo circulante constante y el activo fijo financiados con fuentes de largo plazo.

CUADRO 3

**FINANCIAMIENTO DEL ACTIVO: EL CAPITAL DE TRABAJO NETO**

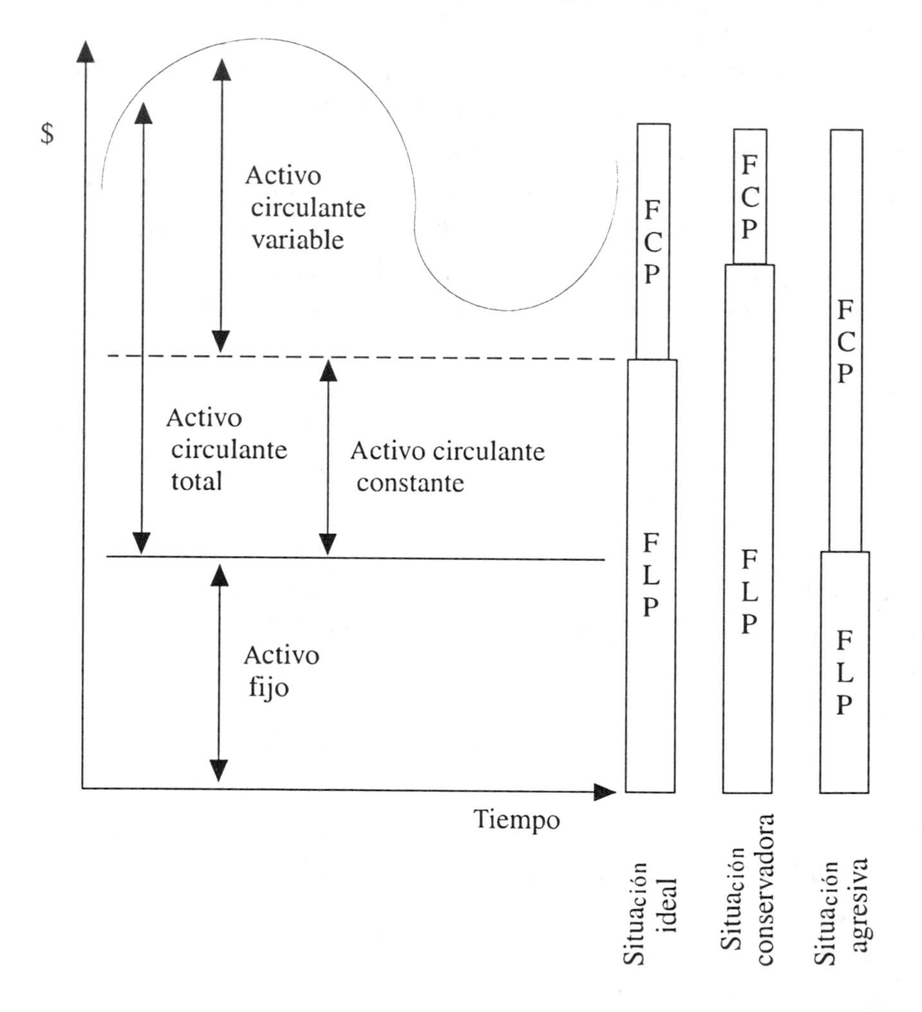

Lograr la situación ideal, si bien es lo más deseable, también es claro que no es fácil de lograr en la vida real. Sin embargo, la mente del ejecutivo financiero debe estar en buscar esta situación para la empresa.

*La situación conservadora* es cuando las fuentes de financiamiento de largo plazo abarcan no sólo el activo fijo y el activo circulante constante, sino también parte del activo circulante variable. Como ya se dijo anteriormente, esta situación es segura pero cara.

*La situación agresiva* es cuando las fuentes de financiamiento de corto plazo, o pasivo circulante, abarcan el activo circulante variable y parte del activo circulante constante o incluso hasta el activo fijo. De esta manera, las fuentes de financiamiento de largo plazo sólo alcanzan a cubrir parte del activo circulante constante y en ocasiones ni siquiera el activo fijo. Recordemos que esta situación puede ser barata si se tiene la posibilidad de mantener una coordinación extraordinaria entre cobros y pagos, pero muy riesgosa de caer en incumplimiento de pago de los compromisos de corto plazo que se convertiría en un costo elevado.

En esta situación agresiva el capital de trabajo neto puede llegar a ser incluso negativo, es decir, cuando el pasivo circulante es mayor al activo circulante. Esta situación en general puede ser peligrosísima para la empresa, ya que implicaría que para cumplir con sus compromisos de corto plazo, para pagar su pasivo circulante, debe vender parte del activo fijo. Su única alternativa para evitar la venta de activo fijo sería la reestructuración del pasivo de corto plazo por pasivo de largo plazo.

## *El ciclo de conversión del efectivo*

Como se dijo al principio de este capítulo, una adecuada administración del capital de trabajo puede ser la diferencia entre un faltante de efectivo y un sobrante de éste. ¿Cuál es el ciclo que se sigue en la operación de la empresa? ¿Cuál es el ciclo que se sigue para la obtención del efectivo?

*El ciclo de operación de la empresa* (véase cuadro 4) comienza cuando se da la compra de materia prima. A partir de ese momento se inicia el periodo de conversión del inventario, o medido de otra forma, comienzan los días de inventario en la empresa. Primero la materia prima

CUADRO 4

## CICLO DE OPERACIÓN Y CICLO DE CONVERSIÓN DEL EFECTIVO

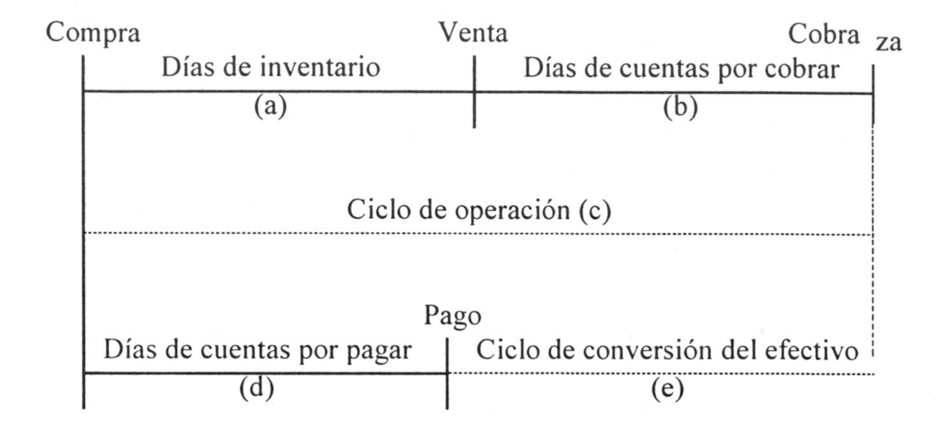


Ciclo de operación (c) = Días de inventario (a)
+ Días de cuentas por cobrar (b)

Ciclo de conversión del efectivo (e) = Ciclo de operación (c)
- Días de cuentas por pagar (d)

Ciclo de conversión del efectivo (e) = Días de inventario (a)
+ Días de cuentas por cobrar (b)
- Días de cuentas por pagar (d)

permanecerá varios días en el almacén. Posteriormente se envía la materia prima a planta donde se agrega al inventario de producción en proceso la mano de obra y otros costos de conversión. Finalmente, el producto terminado permanece en almacén hasta que es enviado al cliente.

Todo este tiempo se puede considerar como una inversión de efectivo en capital de trabajo solamente en lo referente al inventario. Se le puede llamar *días de inventario o ciclo de conversión del inventario* (cuadro 4, inciso (a)).

Una vez efectuada la venta y enviado al cliente el producto terminado comienza el tiempo de espera para la realización de la cobranza. El retraso en la cobranza implica una inversión de efectivo en cartera, ya que mientras el cliente no pague alguien debe financiar la operación de la empresa. El tiempo que transcurre entre el momento en que se da la venta y el momento en que el cliente paga se puede llamar *días de cuentas por cobrar o ciclo de conversión de la cartera* (cuadro 4, inciso (b)).

La suma de todo este tiempo, *la suma de los días de inventario y de los días de cuentas por cobrar, el ciclo total de conversión del inventario y de la cartera, se le conoce como ciclo de operación de la empresa* (cuadro 4, inciso (c)). El tiempo que dure este ciclo de operación es lo que en principio debe financiar la empresa. Mientras mayor sea este ciclo es mayor la cantidad que se requiere para mantener la operación de la empresa, desde el momento de la compra hasta el momento de recuperación del dinero a través de la cobranza.

Sin embargo, hay una compensación al ciclo de operación de la empresa. Se trata del financiamiento de los proveedores. Normalmente no se paga en el momento de la compra, sino hasta transcurrido cierto periodo. El tiempo de financiamiento de los proveedores, el tiempo entre la compra y el pago, se puede definir como los *días de cuentas por pagar o el ciclo de conversión de proveedores* (cuadro 4, inciso (d)).

Finalmente, si al ciclo de operación, si a la suma de los días de inventario y los días de cuentas por pagar, le restamos el ciclo de conversión de proveedores, es decir, los días de cuentas por pagar, entonces tendremos el tiempo, los días o su equivalente en dinero, de lo que la empresa deberá financiar. Se tendría un *ciclo de operación neto, el cual se conoce como ciclo de conversión del efectivo* (cuadro 4, inciso (e)).

El ciclo de conversión del efectivo puede medirse de dos formas: en días y en dinero. Por un lado se trata de la suma de los días de inventario y de los días de cuentas por cobrar, menos los días de cuentas por pagar. Por otro lado se puede medir como la inversión en inventario más la inversión en cuentas por cobrar menos el monto financiado por los proveedores.

*¿Qué implica el ciclo de conversión del efectivo?* En forma simple, al iniciar un negocio los accionistas deben considerar que deberán financiar de entrada no sólo la compra del activo fijo, sino también el ciclo de conversión del efectivo.

¿Qué debe buscar la empresa? Reducir lo más posible el ciclo de conversión del efectivo, ya que esto implica precisamente recursos que deben invertirse en la operación de la empresa. ¿Cómo? Sólo hay tres formas de lograrlo: reducir el inventario, reducir las cuentas por cobrar y/o aumentar las cuentas por pagar.

## *La administración de la cartera*

Las cuentas por cobrar o la cartera en una empresa se dan debido a un retraso en el pago de la facturación por parte de los clientes. En parte se puede justificar este retraso ya que no puede esperarse la operación y las finanzas en las mismas manos. Es decir, cuando el almacenista recibe el producto y da por buena la recepción de la mercancía, él no puede, ni debería, elaborar el cheque para el pago al proveedor. De la misma manera, quien entrega la mercancía no debería ser quien recibe el cheque. Por esto, simplemente por el tiempo que transcurre entre la entrega al cliente de la mercancía y la elaboración del cheque para el pago, es que se tienen cuentas por cobrar.

A pesar de esto, no todo es un problema operativo entre la recepción de la mercancía y el pago de ésta. En muchas ocasiones se aprovecha el cliente de este plazo para financiar su operación. ¿Qué tan fácil es hacer esto? Pues depende en gran medida de la fuerza de negociación entre el cliente y el proveedor.

De cualquier forma, vender a crédito, que los clientes se tarden en pagar, es algo común. *Sin embargo, nadie en su sano juicio quisiera ver que un cliente se tarde en pagarle, que no le pague de contado, a menos que esto le implique un beneficio*. Simplemente, nadie debiera estar dispuesto a vender a crédito a menos que esto implique un beneficio neto para la corporación.

*¿Qué beneficios y que costos se pueden tener por vender a crédito? Algunos beneficios pueden ser los siguientes* (véase cuadro 5). Al menos

CUADRO 5

## COSTOS Y BENEFICIOS POR MANTENER CUENTAS POR COBRAR

| Posibles beneficios | Posibles costos |
|---|---|
| • Mayor venta<br>• Cobro de intereses<br>• Ganancia por desliz cambiario en ventas de exportación | • Costo de oportunidad<br>• Riesgo de incobrables<br>• Gasto administrativo de cobranza<br>• Necesidad de descuentos para cobrar<br>• Pérdida por revaluación cambiaria en ventas de exportación |

debe esperarse una venta mayor. Si se va a vender a crédito y esto no implica mayor venta, entonces no hay nada que decidir: simplemente no debe darse crédito. La primer pregunta que debe hacerse el financiero y contestarse lo antes posible es cuánto más está vendiendo por dar crédito y/o cuanto dejaría de vender si redujera el plazo de crédito que da a sus clientes.

Otros posibles beneficios son el *cobro de intereses* por el retraso en el pago. Si bien esto no es algo común, si puede implicar un beneficio en caso de existir o de poderse negociar con el cliente. Asimismo, en caso de tratarse de una venta de exportación, y bajo el supuesto de una devaluación o un desliz que afecte a la moneda doméstica, entonces se tendría una *ganancia cambiaria*.

*Algunos costos pueden ser los siguientes* (cuadro 5). Para empezar se tiene un *costo de oportunidad*. Es decir, los recursos que se tienen invertidos en las cuentas por cobrar y que no se tienen en efectivo implican un costo de oportunidad. ¿Qué puede ser un costo de oportunidad? Si se tiene dinero en exceso, simplemente al no cobrar el dinero no se puede invertir en algún instrumento que pague intereses. En el otro extremo, si no se tiene dinero y hay que pedir recursos prestados para financiar la operación en espera a que el cliente pague, entonces el costo de oportunidad sería el interés que se deba pagar sobre estos recursos.

Determinar el costo de oportunidad exacto no es tan fácil en la realidad. Pero lo que si es claro es que éste existe, y que el retraso en el cobro de la facturación no es gratuito. Tiene un costo para la corporación, el cual puede ser difícil de determinar con exactitud pero es totalmente objetivo e impacta los resultados de la empresa. Todo ejecutivo dentro del negocio debe tener claro este costo, ya que es un punto de partida para decidir sobre las políticas de cuentas por cobrar.

Otros costos posibles por dar crédito a los clientes es el *riesgo de incobrables*. En caso de una venta a crédito siempre existirá un riesgo, menor o mayor dependiendo del giro del negocio y del tipo de cliente, de que pueda no pagar. En el momento de la entrega de la mercancía el cliente puede pagar con gran seguridad. Al cabo de un tiempo, éste puede no pagar, por caer en problemas de liquidez, por problemas laborales como una huelga, incluso por una quiebra, o simplemente de forma fraudulenta.

Dar crédito también implica un *gasto administrativo de cobranza*. Alguien deberá mantener el control sobre quien debe, cuándo ir por el pago, hacer las llamadas correspondientes y, en general, "perseguir" el pago. En un negocio pequeño puede ser que una misma persona haga todas las actividades administrativas. Cobrar implicará tiempo de esta persona dedicado a una actividad que en principio no da valor agregado.

Por último, es posible que para cobrar se vea la empresa en la *necesidad de otorgar descuentos*. Esto implicaría una pérdida por este concepto sobre la facturación inicial. También, en caso de venta de exportación, si la moneda doméstica se llegara a revaluar entonces se tendría una *pérdida cambiaria*, ya que al cobrar se convertiría la moneda extranjera en menos unidades de la moneda doméstica.

Con base en estas ideas, cada empresa debe determinar por principio una lista de los posibles beneficios que le implica vender a crédito y una de los posibles costos. Posteriormente deben cuantificarse ambos y enfrentarse, con objeto de determinar si se justifica la venta a crédito y determinar políticas óptimas sobre este aspecto.

### *Funciones de costo total y beneficio neto sobre la cartera*

*¿Cómo hacer un modelo para evaluar las políticas de crédito?* Debe partirse de la lista de posibles beneficios y costos, y de un *concepto de mínimo costo total o máximo beneficio neto*.

Sobre un *modelo tradicional de costos* (cuadro 6) se pueden graficar los costos para los diferentes días de cuentas por cobrar posibles. Por un

CUADRO 6

**FUNCIÓN DE COSTO TOTAL PARA CUENTAS POR COBRAR**

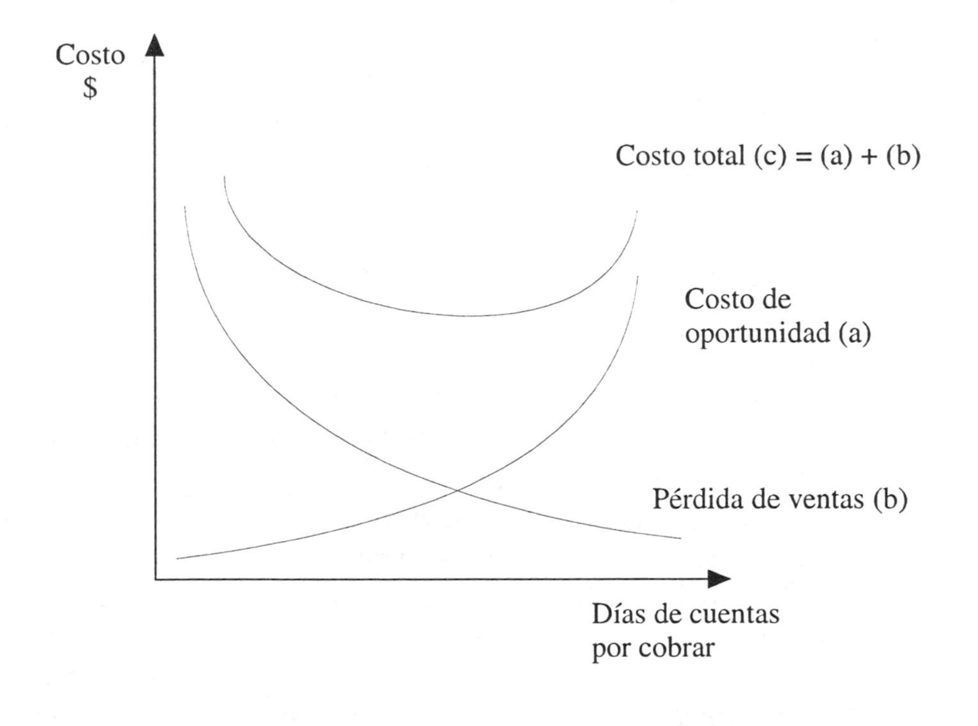

lado, al igual que en cualquier modelo de costos, siempre se tendrá un función de costos con pendiente positiva y otra con pendiente negativa. La primera, *la función de costos con pendiente positiva, o ascendente, sería el costo de oportunidad.* Mientras mayor cantidad de días de cuentas por cobrar se tengan, el tiempo y la cantidad de recursos a financiar será mayor, lo que implicará un costo financiero mayor. Otras variables sobre el costo de mantener días de cuentas por cobrar se pueden representar sobre esta curva.

Por el otro lado, *la función de costos con pendiente negativa, o descendente, serían las ventas perdidas.* Mientras más días se puedan ofrecer al cliente para que pague, es más probable que menos clientes nos dejen de comprar, es decir que se pierdan menos ventas. Este costo es más difícil de cuantificar que el costo de oportunidad, pero existe y es real.

*La suma de estas dos funciones de costo, la del costo de oportunidad y la de pérdida de ventas, nos daría la función de costo total. Esta función tiene un punto mínimo, es decir, un nivel de cuentas por cobrar que implicaría una combinación de costo de oportunidad y de pérdida de ventas mínimo* (cuadro 6). Este nivel de días de cuentas por cobrar debería buscar la empresa, con objeto de minimizar el costo y maximizar el beneficio. ¿Es fácil hacer esto en la realidad? Más adelante lo comentaremos.

La otra forma de enfocar este problema de determinación de días óptimos de cuentas por cobrar es bajo el *concepto de beneficio neto* (cuadro 7). Esto implica determinar, también para distintos días de cuentas por cobrar, dos funciones. *La primera debe ser la función de beneficio, es decir, las ventas que se irán incrementando conforme aumentan los días de cartera.* Una vez más, si se da mayor plazo a los clientes para pagar debiera esperarse que la venta aumente.

Por el otro lado se tiene *la función de costo, la cual también se incrementa conforme aumentan los días de cuentas por cobrar, ya que el costo de oportunidad de mantener la inversión en cartera es mayor.*

*La resta de estas dos funciones, en este caso, nos arrojaría la función de beneficio neto. En este enfoque lo que se estaría buscando es maximizar el beneficio neto, es decir, encontrar el punto donde la relación*

CUADRO 7

**FUNCIÓN DE BENEFICIO NETO PARA CUENTAS POR COBRAR**

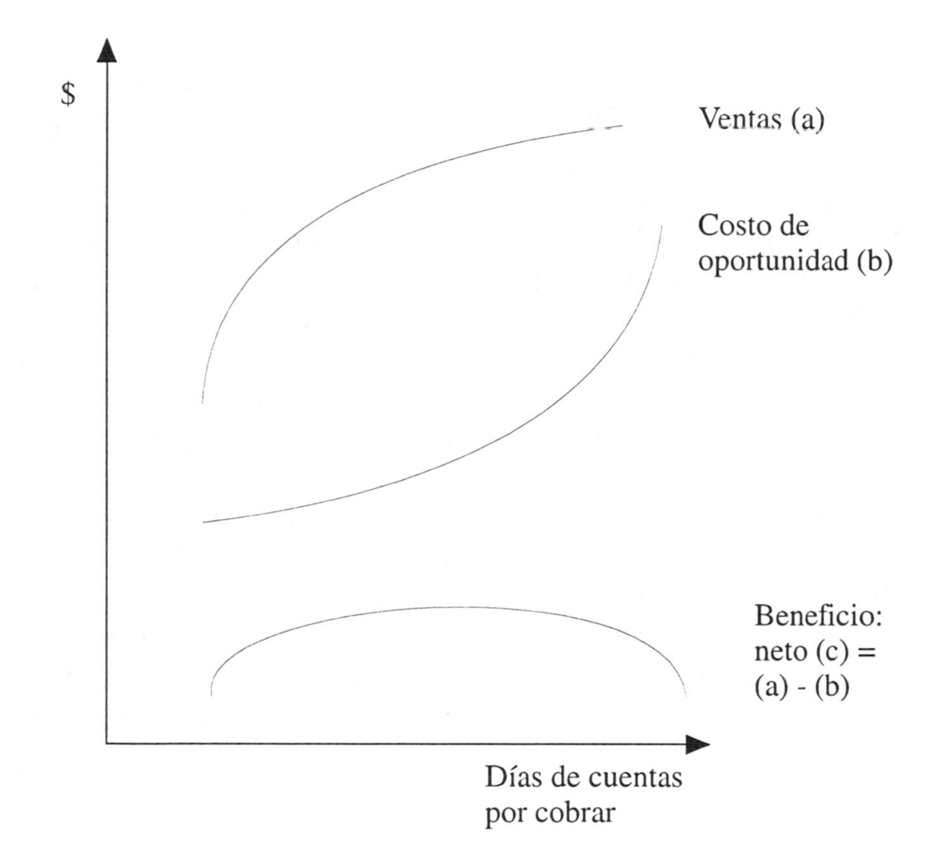


*beneficios por venta menos costos por mantener cartera sea lo más grande posible* (cuadro 7).

Por principio, ambos enfoques, el de mínimo costo y el de máximo beneficio neto, nos arrojan el mismo resultado. Su uso depende más del tipo de información que se tiene. Para un mismo nivel de días de cuentas por cobrar se tendría el mínimo costo total y el máximo beneficio neto.

Pero una vez más, *¿qué tan fácil es aplicar esto a la realidad en la empresa?* Definitivamente aplicar tal cual el modelo como se presenta aquí es muy difícil. ¿Por qué? Bueno, se requeriría de la posibilidad de establecer funciones matemáticas precisas que describan las funciones descritas, con objeto de poder llevar a cabo sobre ellas una primera derivada para encontrar el punto mínimo.

En principio esto es posible en cualquier negocio, pero también es seguro que el costo de elaborar la función matemática precisa pueda resultar muy caro, simplemente porque la empresa no disponga de la información suficiente como para inferir dicha función.

¿Qué hacer entonces? Dos reflexiones al respecto. Primero, estos dos enfoques, mínimo costo total y máximo beneficio neto, estos dos modelos matemáticos, son correctos y explican el comportamiento dentro de una empresa. No es fácil aplicarlos debido a que en la realidad en las empresas no se tiene información ni estadística para desarrollar las funciones matemáticas. Estos dos modelos, como toda la teoría, están aún algunos pasos adelante de nuestra capacidad práctica.

La segunda reflexión es que, aunque no se puedan aplicar tal cual estos modelos, sí deben estar bien claros en la mente de cualquier ejecutivo financiero para imaginar las variables que afectan una decisión de inversión en cartera, tomando decisiones abstractas tan sofisticadas como su mente lo permita. Por otro lado, estos modelos deben servir para desarrollar esquemas de decisión y análisis simplificados, como el que se presenta a continuación.

## *Esquema práctico para evaluar políticas de crédito*

*Partamos del concepto del modelo de beneficio neto* (cuadro 7) *y de los datos del ejemplo hipotético número 1 del cuadro 8. En este ejemplo se presentan tres posibles escenarios.*

El *primer escenario* (cuadro 8) implica vender con una política de crédito relativamente estricta, permitiendo en promedio 24 días de cuentas por cobrar. Esto implicaría una venta de solamente $80,000 anuales. Por otro lado, el gasto administrativo de cobranza se estima

CUADRO 8

## EJEMPLO HIPOTÉTICO NÚMERO 1 DE EVALUACIÓN DE POLÍTICAS DE CRÉDITO

**(costo de oportunidad del 40% anual)**

| | Primer escenario | Segundo escenario | Tercer escenario |
|---|---|---|---|
| Ventas anuales (a) | $80,000 | $100,000 | $120,000 |
| Días de cartera promedio (b) | 24 | 36 | 54 |
| Gasto de administración (c) | $800 | $1,000 | $1,200 |
| Incobrables s/venta total (d) | 1% | 2% | 3% |
| | | | |
| Margen de contribución (e) | 30% | 30% | 30% |
| Costo de oportunidad (f) | 40% | 40% | 40% |
| | | | |
| EVALUACIÓN | | | |
| **Beneficios:** | | | |
| Margen de contribución (g) = (a) * (e) | $24,000 | $30,000 | $36,000 |
| | | | |
| **Costos:** | | | |
| Gasto de administración anual (h) = (c) | $800 | $1,000 | $1,200 |
| Ventas incobrables (i) = (a) * (d) | $800 | $2,000 | $3,600 |
| Cuentas por cobrar promedio (j) = (a) * (b) / 360 | $5,333 | $10,000 | $18,000 |
| Costo de oportunidad (k) = (j) * (f) | $2,133 | $4,000 | $7,200 |
| **Costo total** (l) = (h) + (i) + (k) | $3,733 | $7,000 | $12,000 |
| | | | |
| **Beneficio neto** (m) = (g) - (l) | $20,267 | $23,000 | **$24,000** ***Máximo beneficio neto*** |

en este caso en $800 al año y una incobrabilidad del 1% sobre la venta total.

El *segundo escenario* (cuadro 8) implica vender con una política de crédito media, permitiendo en promedio 36 días de cuentas por cobrar. Esto implicaría una venta de $100,000 anuales, ya que se captarían clientes que con la política estricta anterior no compraban a la empresa. En este caso se estima un gasto administrativo de cobranza de $1,000 al año y una incobrabilidad del 2% sobre la venta total.

Por último, el *tercer escenario* (cuadro 8) implica vender con una política de crédito amplia, permitiendo en promedio 54 días de cuentas por cobrar. Esto implicaría una venta de $120,000 anuales, venta mayor a los dos escenarios anteriores, ya que se captarían clientes que en los dos anteriores no se tenían dadas las restricciones en los días de cuentas por cobrar. En este caso se estima un gasto administrativo de cobranza de $1,200 al año, y una incobrabilidad de 3% sobre la venta total.

¿Cómo determinar todos estos datos en la realidad? Una buena forma es apoyarse en estadística de la misma empresa, si es que existe, y en las opiniones de quienes están en contacto con los clientes: los vendedores. Ellos, a pesar de su característico optimismo, son los que tienen la mejor idea de cuánto más se podría vender, de cuántos clientes más se podrían captar, si se amplía la política de días de cuentas por cobrar.

¿Qué otra información hace falta? Dos datos básicos. Por un lado, se requiere de un estimado del costo de oportunidad, es decir, del costo del dinero por el financiamiento. En este ejemplo se supone un costo de oportunidad del 40% anual. Por otro lado, se requiere de conocer el margen de contribución en forma porcentual, que se define como la diferencia entre el precio de venta y el costo variable. Por ejemplo, en este caso se maneja un costo variable (materiales y mano de obra, en principio) del 70% y por lo tanto un margen de contribución del 30%.

¿Por qué un margen de contribución y no un margen de utilidad? ¿Dónde se dejan los costos fijos? En este análisis es importante el margen de contribución, es decir, la relación entre venta y costos variables, ya que los costos fijos se vuelven irrelevantes. Éstos, los costos fijos, permanecerán constantes para cualquiera de los tres escenarios.

El análisis por llevar a cabo bajo los supuestos de los tres escenarios (ejemplo del cuadro 8) sería con base en el principio del modelo de beneficio neto (cuadro 7). Primero definamos el beneficio posible para cada escenario. Éste sería el margen de contribución sobre la venta, es decir, la venta por el margen. Para el primer escenario sería de $24,000, que es la venta de $80,000 por el margen de 0.3 o 30%. En el segundo escenario sería de $30,000, que es la venta de $100,000 por el margen de 0.3 o 30%.

En este ejemplo hipotético el margen de contribución sería el único beneficio. Ahora vayamos a los costos. El primer costo que se tiene es directamente el gasto de administración de la cartera, que es un dato dado. Para el primer escenario este gasto es de $800, para el segundo es de $1,000, y para el tercero lo es de $1,200.

El segundo costo es el de incobrabilidad. En el primer escenario se estima una incobrabilidad del 1% sobre la venta total, lo que nos arrojaría una cifra de $800, que es el resultado de multiplicar $80,000 de venta por 0.01 o 1% de incobrables estimadas. Para el segundo escenario sería de $2,000, que es el resultado de multiplicar $100,000 de venta estimada por 0.02 o 2% de incobrables estimadas.

Por último, falta el costo de oportunidad. Este costo se da sobre la inversión en cuentas por cobrar. Vayamos al primer escenario. Si la venta es de $80,000 y se tienen en promedio 24 días de cuentas por cobrar, entonces la inversión en cuentas por cobrar sería de $5,333, que es el resultado de multiplicar $80,000 de venta por 24 días de cartera y dividir todo entre 360 días al año.

Esta inversión en cartera de $5,333 para el primer escenario no es en sí un costo. El costo lo es el interés que dejamos de ganar, o que tenemos que pagar, por esta inversión. Este interés se determinó en este caso con una tasa anual del 40%, lo que implicaría que el costo de oportunidad sobre el primer escenario es de $2,133, que es el resultado de multiplicar $5,333 de inversión promedio en cartera por 0.4 o el 40% de costo de oportunidad. Esta cantidad de $2,133 sí es un costo para la empresa.

Vale la pena comentar que éste es un enfoque de determinar el costo de oportunidad. También se maneja la aplicación del costo de oportunidad sobre el costo variable de la inversión en cartera, que en este caso implicaría aplicar el costo del 40% sobre una cantidad de $3,733 que es el 70% de $5,333. Quienes manejan este enfoque parten del principio de que lo que realmente cuesta a la empresa es el financiamiento de la inversión en el costo variable de las cuentas por cobrar, y no sobre el margen de contribución.

Ambos enfoques, ya sea el de aplicar el costo de oportunidad sobre la inversión total en cartera o sobre el costo variable de la inversión, son válidos. El punto de diferencia sería solamente definir si la misma tasa de costo de oportunidad aplica sobre el margen de contribución o no. En el caso de este libro se aplicará el costo de oportunidad sobre el saldo total promedio en cartera.

Para el segundo escenario se tiene un venta de $100,000 al año y 36 días promedio de cuentas por cobrar. Esto arrojaría una inversión en cartera promedio de $10,000, que es la multiplicación de $100,000 por 36 y dividido entre 360. Sobre esta inversión se considera el costo de oportunidad de 40%, dando un costo de oportunidad al año de $4,000.

Finalmente, el beneficio neto para cada uno de los tres escenarios sería la resta al beneficio (el margen de contribución) del gasto de administración, de las ventas incobrables y del costo de oportunidad. En este ejemplo con costo de oportunidad del 40% resulta que la mejor alternativa es el tercer escenario, es decir, dadas las consideraciones vale la pena vender más aunque esto también implique un costo mayor.

*Sobre este esquema práctico de análisis de diferentes escenarios probables de cuentas por cobrar, se pueden agregar y eliminar tantas variables como se desee.* Lo único importante es que se tenga la posibilidad de estimar estas variables y que realmente sean relevantes en la decisión. Además, debe definirse para cada variable si ésta implica un beneficio o un costo.

*Un principio que debe tenerse siempre en mente es el de mantener lo más simple posible cualquier modelo de decisión.*

## *Análisis de sensibilidad sobre el esquema de decisión de cuentas por cobrar*

Sobre un esquema de cuentas por cobrar como el desarrollado anteriormente se puede llevar a cabo un análisis de sensibilidad, es decir, buscar el impacto que implicaría que algunas de las variables cambiaran.

Veamos por ejemplo el caso de la variable costo de oportunidad. En el cuadro 9 se tiene el caso de que el costo de oportunidad fuera de 70% en vez de 40% como lo era en el ejemplo inicial.

CUADRO 9

# EJEMPLO HIPOTÉTICO NÚMERO 2 DE EVALUACIÓN DE POLÍTICAS DE CRÉDITO

**(costo de oportunidad del 70% anual)**

| | Primer escenario | Segundo escenario | Tercer escenario |
|---|---|---|---|
| Ventas anuales (a) | $80,000 | $100,000 | $120,000 |
| Días de cartera promedio (b) | 24 | 36 | 54 |
| Gasto de administración (c) | $800 | $1,000 | $1,200 |
| Incobrables s/venta total (d) | 1% | 2% | 3% |
| Margen de contribución (e) | 30% | 30% | 30% |
| Costo de oportunidad (f) | 70% | 70% | 70% |
| **EVALUACIÓN** | | | |
| **Beneficios:** | | | |
| Margen de contribución (g) = (a) * (e) | $24,000 | $30,000 | $36,000 |
| **Costos:** | | | |
| Gasto de administración anual (h) = (c) | $800 | $1,000 | $1,200 |
| Ventas incobrables (i) = (a) * (d) | $800 | $2,000 | $3,600 |
| Cuentas por cobrar promedio (j) = (a) * (b) / 360 | $5,333 | $10,000 | $18,000 |
| Costo de oportunidad (k) = (j) * (f) | ***$3,733*** | ***$7,000*** | ***$12,600*** |
| **Costo total** (l) = (h) + (i) + (k) | $5,333 | $10,000 | $17,400 |
| **Beneficio neto** (m) = (g) - (l) | $18,667 | **$20,000** ***Máximo beneficio neto*** | $18,600 |

Con este nuevo costo de oportunidad se observa sobre el ejemplo número 2 del cuadro 9 que el margen de contribución se mantiene igual, así como el gasto por administración de la cartera y las ventas incobrables. Asimismo, las cuentas por cobrar promedio permanecen constantes. Sin embargo, ahora aumenta el costo de oportunidad calculado sobre estas cuentas por cobrar, ya que la tasa aumentó del 40 al 70%.

La conclusión en este ejemplo número 2 sería que es preferible mantener el segundo escenario en el que las cuentas por cobrar implican 36 días en promedio. Para este escenario se pierde alguna venta con respecto al tercer escenario que era el que más convenía en el primer ejemplo, pero esto se debe a que aumentó el costo de oportunidad y es preferible perder a aquellos clientes que quieren tomar demasiados días para pagar, ya que saldría más caro financiar a los clientes que el margen de contribución que se tendría.

Por último, en el ejemplo número 3 (véase cuadro 10) se considera un costo de oportunidad del 100% anual. Como se puede ver, en este caso sería mejor mantener la política de crédito del primer escenario, donde las cuentas por cobrar son las más estrictas siendo 24 días en promedio, y a pesar de que las ventas son las menores. En este tercer ejemplo se vuelve tan caro el costo del dinero y por lo tanto el costo de financiar cuentas por cobrar, que es preferible perder venta que tener que financiarla. ¿Alguna vez había conceptualizado que puede ser mejor no vender que vender a crédito? Con un esquema de este tipo y un análisis de sensibilidad puede apoyar su toma de decisiones sobre las políticas de cuentas por cobrar que debe mantener con sus clientes.

Con base en estos principios y lo ejemplificado con este esquema de decisión de cuentas por cobrar, se puede ir desarrollando un modelo a la medida exacta del negocio que se esté analizando. También se debiera llegar a desarrollar un función matemática que refleje el comportamiento del negocio. Con esa función matemática, con un modelo general de decisión, se puede llegar a conceptualizar el efecto de cada variable sobre los resultados y el nivel de riesgo que trae consigo cada variable.

### *Esquema para evaluar políticas de inventario*

Un esquema similar al presentado para evaluar políticas de crédito puede ser utilizado en el caso de la inversión en inventarios. Lo que cambiaría serían los conceptos de beneficios y costos, mas no el planteamiento matemático general y la obtención del beneficio neto.

CUADRO 10

## EJEMPLO HIPOTÉTICO NÚMERO 3 DE EVALUACIÓN DE POLÍTICAS DE CRÉDITO
**(costo de oportunidad del 100% anual)**

| | Primer escenario | Segundo escenario | Tercer escenario |
|---|---|---|---|
| Ventas anuales (a) | $80,000 | $100,000 | $120,000 |
| Días de cartera promedio (b) | 24 | 36 | 54 |
| Gasto de administración (c) | $800 | $1,000 | $1,200 |
| Incobrables s/venta total (d) | 1% | 2% | 3% |
| Margen de contribución (e) | 30% | 30% | 30% |
| Costo de oportunidad (f) | 100% | 100% | 100% |
| **EVALUACIÓN** | | | |
| **Beneficios:** | | | |
| Margen de contribución (g) = (a) * (e) | $24,000 | $30,000 | $36,000 |
| **Costos:** | | | |
| Gasto de administración anual (h) = (c) | $800 | $1,000 | $1,200 |
| Ventas incobrables (i) = (a) * (d) | $800 | $2,000 | $3,600 |
| Cuentas por cobrar promedio (j) = (a) * (b) / 360 | $5,333 | $10,000 | $18,000 |
| Costo de oportunidad (k) = (j) * (f) | ***$5,333*** | ***$10,000*** | ***$18,000*** |
| **Costo total** (l) = (h) + (i) + (k) | $6,933 | $13,000 | $22,800 |
| **Beneficio neto** (m) = (g) - (l) | **$17,067** ***Máximo beneficio neto*** | $17,000 | $13,200 |

Veamos *algunos beneficios en el caso de mantener inventario* (cuadro 11). Si se mantienen niveles elevados de inventario se puede pensar que se tendrían suficientes existencias como para dar un *mejor servicio* al cliente en todo momento, ya sea para surtirle producto terminado o bien refacciones. Esto debiera implicar una *mayor venta*. Por otro lado se puede mantener un *mejor balanceo en las líneas de producción*

CUADRO 11

## COSTOS Y BENEFICIOS POR MANTENER INVENTARIO

| Posibles beneficios | Posibles costos |
|---|---|
| • Mayor venta por mejor servicio al cliente<br>• Mejor balanceo de líneas de producción<br>• Mejores precios por volumen de compra<br>• Posible ganancia por cambios en precios de la mercancía y productos | • Costo de oportunidad<br>• Manejo del inventario<br>• Bodegas<br>• Obsolescencia<br>• Registro y control<br>• Pérdidas en el inventario<br>• Riesgos de deterioro<br>• Posible pérdida por cambios en precios de la mercancía y productos |

si se tiene suficiente producción en proceso para alimentar cada máquina. Los precios de compra que se pueden obtener al comprar lotes más grandes son también posibles. Por último, un beneficio de tener inventario puede ser una *posible ganancia por cambios en los precios* de la mercancía y de productos.

Ahora, también se tienen *costos por mantener inventario*. Por un lado se tiene, al igual que en las cuentas por cobrar, un *costo de oportunidad* por los recursos ahí invertidos, y la imposibilidad de tenerlos invertidos en algún instrumento que pague intereses, o por la necesidad de recurrir a un financiamiento para comprar el inventario y por lo tanto de tener que pagar un interés.

También como costo por mantener inventario se tiene el propio por el *manejo de las existencias*: montacargas, energía, personal y otros. El costo propio de la bodega, como puede ser la renta de ésta. El *costo del registro y control* de existencias, las *pérdidas* en el inventario, los *riesgos de deterioro* de la mercancía, así como una posible *pérdida por cambios en el precio* de la mercancía y productos.

Con base en la identificación de estos beneficios y costos, habría que cuantificar, para diferentes políticas de inventario posible, los beneficios y los costos, para restarlos y obtener el beneficio neto. También aquí se buscaría la alternativa que ofrezca el mayor beneficio neto posible.

Un ejemplo sobre el análisis de políticas de inventario se puede ver en el ejemplo hipotético número 1 del cuadro 12. En éste se presentan tres posibles escenarios. En el primer escenario se estima que se pueden vender $400,000 anuales si se mantiene una rotación del inventario de 25 veces en el año. En el segundo escenario se estima que la ventas pueden incrementarse a $420,000 si se incrementa el nivel del inventario, bajando su rotación a 20 veces en el año. Por último, en el tercer escenario se estima que con una rotación de 15 veces en el año, es decir, aún con mayor inventario, se pueden incrementar las ventas a $430,000 anuales.

Para este ejemplo se estima un costo variable de 85% sobre la venta, lo que nos lleva a un margen de contribución del 15%. El costo de oportunidad se estimó en 30% anual.

En el caso de análisis sobre políticas de inventario se deben identificar los beneficios y los costos, tal como se hizo con las cuentas por cobrar. En este caso, como se puede ver en el cuadro 12, los beneficios están representados por el margen de contribución de las ventas, el cual es mayor conforme aumentan las ventas. Por ejemplo, en el primer escenario la venta total anual es de $400,000, que multiplicado por el margen de contribución del 15% nos da un resultado de $60,000.

Por su lado, los costo se determinan como el costo de oportunidad a partir del inventario promedio, que a su vez se determina del costo anual total. Por ejemplo, en el primer escenario se tiene un costo de ventas variable de $340,000, que se obtuvo de multiplicar la venta anual ($400,000) por el costo variable (85%). Este costo de ventas se dividió entre la rotación del inventario (25 para el primer escenario) y se obtuvo el inventario promedio en el año de $13,600. Por último, este inventario promedio se multiplicó por el costo de oportunidad de 30% anual para llegar al saldo de $4,080 en el año.

Finalmente, el beneficio neto está definido por la diferencia entre el margen de contribución y el costo de oportunidad. Con esta operación

CUADRO 12

## EJEMPLO HIPOTÉTICO NÚMERO 1 DE EVALUACIÓN DE POLÍTICAS DE INVENTARIO

**(costo de oportunidad del 30% anual)**

| | Primer escenario | Segundo escenario | Tercer escenario |
|---|---|---|---|
| Ventas anuales (a) | $400,000 | $420,000 | $430,000 |
| Rotación del inventario (b) | 25 | 20 | 15 |
| Costo variable (c) | 85% | 85% | 85% |
| Margen de contribución (d) = 1 - (c) | 15% | 15% | 15% |
| Costo de oportunidad (e) | 30% | 30% | 30% |
| **EVALUACIÓN** | | | |
| **Beneficios:** | | | |
| Margen de contribución (f) = (a) * (d) | $60,000 | $63,000 | $64,500 |
| **Costos:** | | | |
| Costo de ventas variable (g) = (a) * (c) | $340,000 | $357,000 | $365,500 |
| Inventario promedio (h) = (g) / (b) | $13,600 | $17,850 | $24,367 |
| Costo de oportunidad (i) = (h) * (e) | $4,080 | $5,355 | $7,310 |
| **Beneficio neto** (j) = (f) - (i) | $55,920 | **$57,645** ***Máximo beneficio neto*** | $57,190 |

se define el beneficio neto que nos da cada escenario. Mientras mayor inventario se tenga, se tiene mayor venta, lo que nos arroja mayor margen de contribución. Por el otro lado, a mayor inventario se tiene mayor costo de oportunidad. Lo que importa es el máximo beneficio de la resta de estos dos conceptos.

### *Esquema para evaluar políticas de cuentas por pagar*

Por último, si nos vamos al lado del pasivo, se podrían evaluar las políticas sobre los días de cuentas por pagar o de proveedores. Es una creencia común pensar que financiarse con los proveedores no cuesta. Todo en la vida cuesta, y los proveedores no son la excepción.

Algunos *beneficios* (cuadro 13) por no pagar a los proveedores de contado puede ser el derivado del *costo de oportunidad*. En este caso, el costo de oportunidad es un beneficio para la empresa, ya que al no pagar a los proveedores se puede mantener ese dinero invertido de tal forma que se obtenga un interés a favor. También es posible dejar de utilizar un crédito bancario, que tendría un costo, si se utilizan los recursos de los proveedores.

Otro beneficio posible es el que se podría lograr en el caso de *compras de importación* si se revalúa la moneda doméstica sobre la extranjera. En este caso se habrían obtenido mercancías a un tipo de cambio, y en el momento de pagarlas habría que hacerlo a un tipo de cambio menor. También habría que considerar las *ganancias por descuentos* que se pudieran obtener por pagar de contado, o a un plazo corto.

Por el otro lado, *¿qué costo hay?* Primero se tendría una *falta de descuentos* por pagos a crédito en lugar de hacerlo de contado. Los provee-

CUADRO 13

**COSTOS Y BENEFICIOS POR MANTENER CUENTAS POR PAGAR**

| Posibles beneficios | Posibles costos |
|---|---|
| • Ganancia por descuentos por pagos de contado<br>• Costo de oportunidad<br>• Ganancia por revaluación cambiaria en compras de importación | • Pérdida de descuentos por pagos a crédito<br>• Menor servicio por parte del proveedor<br>• Registro y control<br>• Pérdida por desliz cambiario en compras de importación |

dores también tienen un costo de oportunidad, por lo que siempre estarán dispuestos a ofrecer un descuento por el pronto pago.

Otro posible costo por no pagar a los proveedores puede ser el recibir un *menor servicio* por parte de éstos. Asimismo, el *registrar y controlar* nuestras deudas con proveedores tiene un costo. Por último, puede haber una posible pérdida en el caso de *compras de importación* debido a que se depreciara la moneda doméstica, debiéndose pagar la compra a un tipo de cambio mayor que cuando se adquirió la mercancía.

El modelo de evaluación sobre varias políticas de cuentas por pagar puede verse similar al de cuentas por cobrar, con la diferencia que los beneficios en un caso serán costos en el otro, y los costos de uno lo serán beneficios en el otro. Después de todo, a toda cuenta por cobrar en la empresa corresponde una cuenta por pagar en otra, y a toda cuenta por pagar en la empresa corresponde una cuenta por cobrar en otra.

En el cuadro 14 se puede ver el ejemplo hipotético número 1 de evaluación de políticas de cuentas por pagar. En este caso se suponen compras anuales de $240,000. Los días de cuentas por pagar son de 15, 30 y 45 para cada escenario, teniéndose menores descuentos por parte de los proveedores mientras más días se tienen.

Se comienza por evaluar el beneficio de cada escenario. Se parte del beneficio por el costo de oportunidad que implica el tener cuentas por pagar, es decir, no pagar a los proveedores y usar su dinero. En el primer escenario se tiene que las cuentas por pagar promedio son de $10,000, que se obtuvieron de las compras anuales de $240,000, multiplicadas por 15 días, y divididas entre 360 días en el año. A partir de estas cuentas por pagar promedio de $10,000 se determina el costo de oportunidad al multiplicar esta cantidad por 0.25, teniéndose un resultado de $2,500 en el año.

El costo en este caso de cuentas por pagar es el descuento que se pierde por no pagar pronto. En el primer escenario se tiene un descuento de 3% sobre la compra anual. Para el segundo se tiene un descuento de 2% sobre la compra, lo que implica una pérdida de descuento del 1% sobre el primer escenario. Por último, el tercer escenario no implica descuento alguno, lo que implica una pérdida del 3% de descuento sobre el primer escenario.

CUADRO 14

# EJEMPLO HIPOTÉTICO NÚMERO 1 DE EVALUACIÓN DE POLÍTICAS DE CUENTAS POR PAGAR

**(costo de oportunidad del 25% anual)**

| | Primer escenario | Segundo escenario | Tercer escenario |
|---|---|---|---|
| Compras (a) | $240,000 | $240,000 | $240,000 |
| Días de cuentas por pagar (b) | 15 | 30 | 45 |
| Descuento de proveedores (c) | 3% | 2% | 0% |
| Costo de oportunidad (d) | 25% | 25% | 25% |
| EVALUACIÓN | | | |
| **Beneficios:** | | | |
| Cuentas por pagar promedio (e) = (a) * (b) / 360 | $10,000 | $20,000 | $30,000 |
| Costo de oportunidad (f) = (e) * (d) | $2,500 | $5,000 | $7,500 |
| **Costos:** | | | |
| Descuento (g) = (a) * (c) | $7,200 | $4,800 | $0 |
| Pérdida de descuento (h) | $0 | $2,400 | $7,200 |
| **Beneficio neto** (k) = (f) - (h) | $2,500 | **$2,600** ***Máximo beneficio neto*** | $300 |

Una vez más, y siguiendo con el mismo concepto de máximo beneficio neto, lo que se hace es determinar la resta del beneficio por el costo de oportunidad menos el costo por la pérdida del descuento. El máximo beneficio neto nos indicará la mejor alternativa de pago a los proveedores.

# 6. Análisis y evaluación de proyectos de inversión

## *Valor del dinero en el tiempo*

*Cuando nos referimos a valor en la corporación, a la valuación de empresas, a la medición de valor, o a la evaluación de proyectos de inversión, prácticamente estamos hablando de lo mismo. En general, el concepto básico de lo que se está hablando es del valor del dinero en el tiempo.*

En la evaluación de proyectos de inversión se involucra todo lo relacionado con el balance general (véase cuadro 1). Sin embargo, es básicamente lo relacionado con el activo fijo, con las inversiones de largo plazo.

Cuando se lleva a cabo un proyecto de inversión se requiere normalmente de capital de trabajo adicional, es decir, de activo circulante —activo disponible, cuentas por cobrar e inventario— para apoyar la nueva actividad. Asimismo, se requiere de fuentes de financiamiento, lo que involucra al pasivo y al capital. A pesar de esto, nos referiremos por ahora a la evaluación de la inversión en activo fijo, que son las inversiones de largo plazo.

¿Por qué tiene importancia la inversión en activo fijo? ¿Es acaso una decisión frecuente entre los ejecutivos financieros las evaluaciones de este tipo?

Normalmente un ejecutivo financiero dedica la mayor parte del tiempo, del que dedica a decisiones de inversión, a lo relacionado con el activo circulante. Las decisiones sobre inversiones de excedentes de te-

CUADRO 1

**CONCEPTO DE VALOR DEL DINERO EN EL TIEMPO**

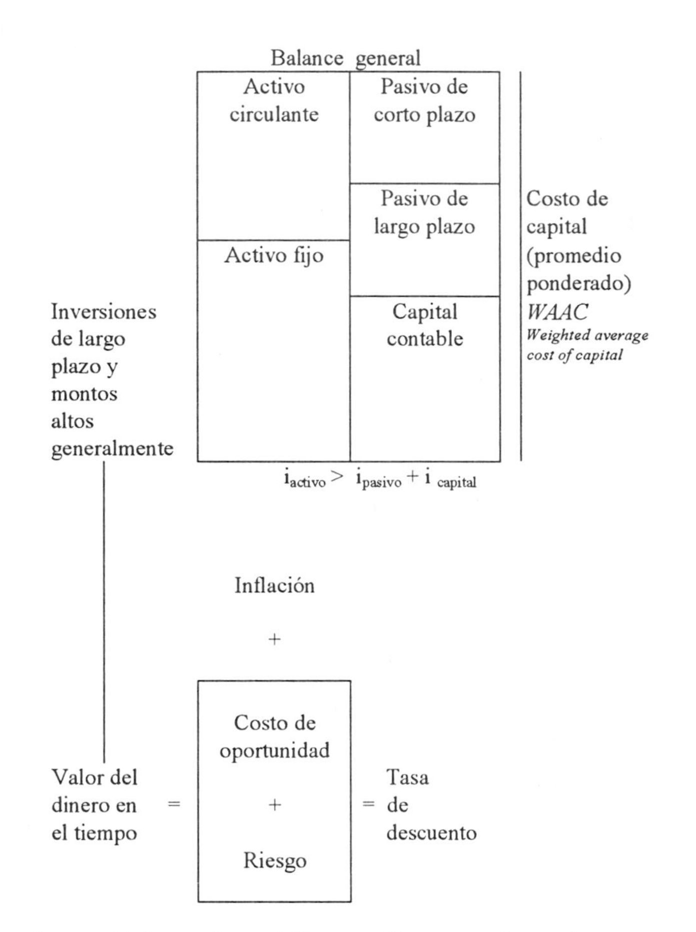


sorería, sobre las políticas de crédito a clientes y la cobranza, y sobre las políticas de inversión en inventarios y compras, son cotidianas y constantes. Las decisiones de inversión sobre activo fijo son poco comunes, más bien esporádicas, con posibilidad de disponer de tiempo para el análisis y la toma de decisiones. El ejecutivo financiero toma sólo unas cuantas decisiones al año sobre inversiones en activo fijo.

¿Por qué entonces es tan importante este tipo de análisis y evaluación? ¿Por qué incluso hay más escrito sobre la administración del activo fijo, lo relativo a la evaluación de proyectos de inversión, que sobre la administración del activo circulante, es decir, lo relativo al capital de trabajo? El punto fundamental aquí es el tiempo.

*Cuando se toma una decisión sobre una inversión en activo fijo se está tomando una decisión de largo plazo, una decisión que, tomada hoy, impactará a la empresa por muchos años. Una decisión que normalmente es difícil de revertir o que su reversión es muy cara. Se trata, pues, de una decisión estratégica.*

Por otro lado, a esto puede añadirse que normalmente una inversión en activo fijo implica una cantidad alta de recursos, lo cual la vuelve aún más importante.

El simple hecho de hablar sobre el tiempo, sobre el largo plazo, sobre decisiones que involucran muchos años, nos lleva a pensar en un concepto básico: el valor del dinero en el tiempo.

¿Qué implica esto? *El valor del dinero en el tiempo es simplemente eso. El dinero vale más hoy que lo que valdrá mañana. El tiempo es dinero. No es lo mismo recibir un beneficio o hacer una inversión hoy que recibirlo o hacerla en el futuro.*

Pero, ¿qué compone el valor del dinero en el tiempo? ¿Por qué hay valor del dinero en el tiempo? Primero debe pensarse en algo: *la inflación*. La inflación, el incremento generalizado y constante de los precios, es sin duda un factor que ayuda a que el dinero valga más hoy que en el futuro. Sin embargo, por principio de definición, se considera que el valor del dinero en el tiempo es una tasa o una medida, en términos reales, es decir, sin considerar el efecto de la inflación. No se quiere decir con esto que la inflación no implica una pérdida del valor en el tiempo, simplemente que se le maneja por separado del concepto de valor del dinero en el tiempo. O que visto de otra forma, *aún sin inflación el dinero tiene valor en el tiempo.*

¿Entonces qué compone el concepto de valor del dinero en el tiempo? Básicamente *dos elementos: el costo de oportunidad y el riesgo.*

*El costo de oportunidad es lo que se deja de ganar, o lo que se pierde, por no invertir en la segunda mejor alternativa.* ¿Cuál es el costo de oportunidad en una evaluación de proyectos de inversión? Es variable, depende de cuál es la otra alternativa para los recursos que se están invirtiendo.

Para definir el costo de oportunidad podría partirse de dos puntos: se tienen los recursos o no se tienen los recursos. Veamos el primero: se tienen los recursos. La pregunta sería, ¿qué se puede hacer con los excedentes que se tienen? El costo de oportunidad mínimo en este caso sería la tasa que puede pagar una inversión en el banco o en instrumentos gubernamentales libres de riesgo (Cetes en el caso de México). Se parte del principio de que cualquier inversionista, por muy pequeño o grande que sea, al menos puede dejar su dinero en una inversión segura como el banco. Pensar en un costo de oportunidad de cero es irreal. En ningún lugar del mundo los bancos pagan intereses nulos sobre el ahorro. Por lo tanto, y sobre todo si se piensa en montos relativamente altos, la tasa de interés que se puede lograr en el banco o con valores gubernamentales libres de riesgo es mayor a cero. Esto, como se dijo, es el costo de oportunidad mínimo para cualquier inversionista.

Pero, ¿puede ser mayor el costo de oportunidad aún si se tienen los recursos como propios? Definitivamente sí. Lo que se debe identificar es el segundo mejor uso alternativo para esos recursos. No necesariamente, y menos para un inversionista o empresario, su mejor alternativa es el banco. Se pueden tener infinidad de alternativas de inversión para los recursos.

Primero, ¿qué pasa si se puede invertir el dinero en algún instrumento que pague más que el banco? ¿Qué tal si se invierte en acciones dentro de la bolsa de valores? O más aún, ¿qué pasa si se tiene la oportunidad de invertir en otro negocio? En este caso, el costo de oportunidad de este inversionista estaría determinado por lo que puede ganar, o perder, por no invertir en su negocio. Cualquier decisión de inversión estará en función de que se le ofrezca un rendimiento mayor a su negocio actual.

El costo de oportunidad puede, aunque parezca irreal, llegar a representar una cifra tan grande que se pueda identificar con el infinito. Por ejemplo, que pasaría si algún inversionista tiene recursos, pero es necesario que se practique una operación del corazón o de otra forma puede morir. En este caso, el costo de oportunidad de este inversionista es infinito. Si no se opera se muere. ¿Para qué querría entonces los recursos? Su costo de oportunidad sería infinito, y por ninguna razón, suponiendo que se trata de un inversionista racional, llevaría a cabo una inversión en algún proyecto antes de operarse y salvar su vida.

*De esta manera, suponiendo que un inversionista tiene recursos en exceso, que tiene el dinero necesario para llevar a cabo un proyecto de inversión, su costo de oportunidad dependerá del uso alternativo que tenga para los recursos. Éste dependerá en forma particular de sus alternativas reales. Sin embargo, no puede ni debe ser menor al interés bancario o de instrumentos gubernamentales libres de riesgo, pero puede llegar a ser tan elevado que pudiera tender al infinito.*

*Ahora, ¿qué pasa con aquellos que no tienen recursos? Su costo de oportunidad está en función del costo de las fuentes de financiamiento, es decir, cuánto tendría que pagar por el dinero que consiga prestado.*

*El costo de oportunidad tiene dos características importantes: es totalmente individual y es relativamente fácil de cuantificar*. Es totalmente individual porque depende de las alternativas particulares del inversionista, ya sea que tenga o no el dinero. Es relativamente fácil de cuantificar, ya que se trata de alternativas medibles en lo general.

*¿Cuál sería el costo de oportunidad en el caso de una corporación? Normalmente se considera como costo de oportunidad mínimo el costo de capital*, el costo de capital promedio ponderado (conocido a veces por sus siglas en inglés WACC: weighted average cost of capital), que es el costo ponderado de las distintas fuentes de financiamiento (pasivo y capital contable). Esto sería el rendimiento mínimo que se esperaría de una inversión en el activo, es decir, que al menos alcance para pagar el costo de las fuentes de financiamiento.

Sin embargo, aún en la corporación, si existe la posibilidad alternativa de invertir en otro activo fijo, el costo de oportunidad sería el rendimiento o beneficio posible de esa otra inversión. Por principio, este rendimiento esperado de la inversión en algún otro activo fijo sería, y debiera ser, mayor al costo de capital.

*¿Y qué hay sobre el riesgo? El otro componente del valor del dinero en el tiempo también tiene sus peculiaridades. El riesgo lo constituye la posibilidad de que no se den los resultados esperados. El riesgo es la medición de la incertidumbre.*

El riesgo se puede definir desde un nivel nacional hasta un nivel de proyecto. No todos los países tienen el mismo nivel de riesgo. Algunos países son más riesgosos que otros, simplemente por su estabilidad política, su estabilidad social, la posibilidad de guerra, etcétera. Ahora, dentro de un mismo país no es lo mismo invertir en cualquier sector industrial. Invertir en un sector que exige fuertes inversiones en bienes de capital, o que tiene una fuerte competencia tecnológica, o que maneja productos nuevos que no han sido probados en el mercado, implica mayor riesgo que un sector que exige baja inversión en bienes de capital, o poca especialización.

Dentro de un mismo sector puede haber empresas con distinto nivel de riesgo. Dependiendo de la estructura financiera de la empresa, de la organización de ésta, del cuerpo directivo de la corporación, y de otros factores, una empresa puede considerarse más o menos riesgosa.

Dentro de una misma empresa no todos los proyectos implican el mismo grado de riesgo. Llevar a cabo un proyecto dentro de la empresa sobre la ampliación de la planta donde se fabrica el producto estrella de la corporación, no implica el mismo riesgo que invertir en instalaciones para llevar a cabo la investigación y desarrollo de nuevos productos que pudieran lanzarse al mercado hasta dentro de varios años.

Con todo esto se puede ver que el nivel de riesgo de un proyecto depende de varios factores: el país, el sector industrial, la empresa y las características del proyecto mismo.

Pero no sólo esto, el riesgo también depende de la percepción propia del mismo por parte del inversionista. Cada persona tiene una percepción distinta del riesgo. Hay quienes están más dispuestos a tomar riesgos que otros. Hay quien jamás arriesgaría nada a cambio de no tener un ingreso fijo y seguro, y otros que por contra no se sentirían motivados si no saben que su ingreso puede ser tan alto como resultados puedan alcanzar. Algunos son felices arrojándose en paracaídas, cuando otros ni siquiera se suben a un avión.

La aversión al riesgo es algo muy personal, muy particular, subjetivo, que tiene que ver más con cuestiones psicológicas que financieras. Y sin embargo, afecta para determinar el valor del dinero en el tiempo cuando se va a llevar a cabo un proyecto de inversión.

*También en el caso del riesgo, se puede decir que tiene dos características: es totalmente individual y es muy difícil de cuantificar. El riesgo depende del país, el sector, la empresa, el proyecto y el inversionista, y en general es muy difícil de llegar a un número que nos muestre un valor cuantitativo. Sin embargo, es parte del valor del dinero en el tiempo, y como tal debe considerarse.*

Finalmente, *a la suma del costo de oportunidad y el riesgo se le conoce como tasa de descuento. Es la tasa que descuenta el valor del dinero en el tiempo. Se trata de un valor básico para iniciar cualquier evaluación de proyecto de inversión.*

*¿Qué tan fácil es determinar la tasa de descuento en la realidad?* Teóricamente es muy claro el concepto de tasa de descuento. Su determinación precisa en la realidad no es tan fácil. ¿Por qué? Para empezar, como ya se comentó, el costo de oportunidad depende de las alternativas de inversión de cada persona. Esto implica en la realidad una determinación del costo de oportunidad para cada inversionista. Además, un costo de oportunidad muy distinto entre inversionistas implica un primer problema.

Por otro lado, tal como ya se dijo, el riesgo es una medida difícil de cuantificar, además de que también tiene un componente particular por cada inversionista. Todo esto hace difícil, más no imposible, determinar una tasa de descuento para evaluar un proyecto de inversión.

*El concepto de valor del dinero en el tiempo es muy claro y explica algo real. Su dificultad para determinarlo no es razón para ignorarlo. El ejecutivo financiero debe buscar la forma de cuantificarlo, en la forma más precisa posible, antes de iniciar la evaluación de un proyecto de inversión.*

### Esquema general en la evaluación de proyectos

*Normalmente cuando se piensa en una evaluación de proyectos se piensa en una inversión hoy que nos dará beneficios en el futuro* (véase cuadro 2). *Sin embargo, se puede llevar a cabo una evaluación de proyectos que ya pasaron, que están por terminar o han terminado* (véase cuadro 3).

CUADRO 2

**ESQUEMA GENERAL EN LA EVALUACIÓN DE PROYECTOS FUTUROS**

| | 0 | 1 | 2 |
|---|---|---|---|
| **1. Proyección de flujos de efectivo en pesos corrientes** | -150 | 120 | 144 |
| Deflación de flujos: | | | |
| Inflación del periodo | | 20 % | 20 % |
| $\frac{\text{Pesos corrientes}}{(1 + \text{inflación})^t}$ | | $\frac{120}{(1+0.2)}$ | $\frac{144}{(1+0.2)^2}$ |
| **2. Flujos de efectivo en pesos constantes** | -150 | 100 | 100 |
| Descuento de flujos: | | | |
| Tasa de descuento | | 10% | 10% |
| $\frac{\text{Pesos constantes}}{(1 + \text{tasa})^t}$ | | $\frac{100}{(1+0.1)}$ | $\frac{100}{(1+0.1)^2}$ |
| **3. Flujos de efectivo descontados** | -150 | 91 | 83 |

*Para llevar a cabo una evaluación de proyectos futuros* (cuadro 2) *se pueden identificar tres grandes pasos*. Primero, se deben proyectar flujos de efectivo en pesos corrientes. Con base en supuestos, datos y relaciones que se puedan identificar, se deben proyectar los flujos de efectivo en pesos corrientes esperados para el proyecto. Por ejemplo, en el cuadro 2 se supone que se estima una inversión inicial de $150, un flujo de efectivo neto en el periodo 1 de $120 y otro en el periodo 2 de $144.

¿Qué tan comparables son estos datos? Definitivamente no son comparables en nada. Las cifras en pesos corrientes no pueden compararse entre ellas simplemente porque no se trata de cifras que impliquen el mismo valor, el mismo poder de consumo. Por esto, es imprescindible pasar a un segundo nivel.

Para llegar al segundo punto es necesario eliminar el efecto de la inflación de los flujos de efectivo. Para esto, se debe determinar la inflación estimada para cada uno de los periodos. Con este dato, se procede a eliminar la inflación acumulada sobre cada flujo. Esto se conoce como deflación de flujos, y para ello se divide cada flujo de efectivo entre la unidad más la inflación acumulada.

En el ejemplo del cuadro 2 se supone una inflación para cada periodo del 20%. Por lo tanto, el flujo de efectivo de $120 en pesos corrientes del periodo 1 se divide entre 1 más 0.20, o 1.20, para obtener un flujo de efectivo en pesos constantes para el periodo 1 equivalente a $100. Lo mismo se hace con el flujo de efectivo de $144 en pesos corrientes del periodo 2. Se divide entre 1 más 0.20, o 1.20, elevado al cuadrado por tratarse de la inflación acumulada de dos periodos. Esto nos indicaría un flujo de efectivo en pesos constantes para el periodo 2 de $100.

*Ya en este punto dos, con los flujos de efectivo en pesos constantes, es decir, una vez eliminada la inflación de los flujos de efectivo iniciales que estaban en pesos corrientes, se tiene forma de comparar. Los flujos de efectivo en pesos constantes ya son comparables entre sí; son comparables en cuanto a su poder de consumo.* Para el ejemplo utilizado, en este paso 2 podemos asegurar que el beneficio esperado en el periodo 1 de $100 es idéntico al esperado para el periodo 2, también de $100.

Sin embargo, ¿qué falta en este punto dos? *Aún con los flujos en pesos constantes no es posible hacer una comparación total, ya que aún no son comparables en cuanto al tiempo.* No es lo mismo recibir $100 pesos en un periodo que los mismos $100 en dos periodos, aun cuando estén en pesos constantes.

Por esto, hay que llegar al punto tres, es decir, obtener flujos de efectivo descontados. Para ello se parte de definir una tasa de descuento, que para este ejemplo se ha supuesto de 10%. Ahora debe eliminarse el valor del dinero en el tiempo con base en esta tasa. Cada flujo de efectivo en pesos constantes se debe dividir entre 1 más 0.10, o 1.10, elevado al periodo de que se trate.

El flujo inicial, la inversión de $150 sería la misma cantidad de $150, ya que se dará de inmediato y por lo tanto no hay ningún valor en el tiempo. El flujo esperado, en pesos constantes, para el periodo 1 de

$100 se divide entre 1.10 para obtener $91. Esto implica que, dado el valor del dinero en el tiempo, esperarnos un periodo a recibir $100 implica un costo de $9, o que sería indistinto esperarse un periodo a recibir los $100 o bien recibir hoy solamente $91. ¿Por qué se está dispuesto a recibir menos hoy que mañana? Porque se tiene un costo de oportunidad y se percibe un riesgo, lo cual se valuó en 10%.

El flujo de efectivo esperado en pesos constantes para el periodo 2 se debe dividir entre 1.10 elevado al cuadrado, por tratarse de dos periodos, obteniéndose un flujo de efectivo descontado de $83. Lo mismo en este caso. Esperar dos periodos a recibir $100 tiene un costo de $17, o bien, es indistinto esperarse dos periodos a recibir $100 o recibir hoy $83.

*De esta manera, en el punto tres se tienen flujos de efectivo en pesos constantes descontados. Es decir, se tienen flujos de efectivo a los que se les ha eliminado el efecto de la inflación y el efecto del valor del dinero a través del tiempo. Se trata de flujos de efectivo perfectamente comparables tanto en cuanto a su poder de consumo, como en cuanto a lo que implica el tiempo. Es decir, en el punto tres se tienen los flujos de efectivo a valor presente* (no valor presente neto).

Como se puede observar, el principio en la evaluación de proyectos está precisamente en afectar eventos futuros con el valor del dinero en el tiempo, para hacerlos comparables y poder evaluar si efectivamente una inversión el día de hoy tendrá beneficios lo suficientemente atractivos en el futuro.

*¿Qué problemas hay para llevar a cabo esta evaluación en la realidad?* Tres grandes errores inevitables se pueden identificar. El primero, y más fácil de controlar, es, como ya se dijo, la determinación de la tasa de descuento. El segundo es la determinación de la tasa de inflación futura. El tercero, y más difícil de controlar, es la posibilidad real de poder justificar los supuestos, datos y relaciones causales que se utilizaron para proyectar los flujos de efectivo en pesos corrientes.

Cualquier estimación futura es incierta, por no decir, segura que no se dará. Mas sin embargo, mientras más incierta es la economía de un país, es más incierta aún cualquier proyección. En un país desarrollado las proyecciones de supuestos de operación, de tasas de inflación y de tasas de descuento es incierta, pero con una grado de incertidumbre muchísimo menor que en un país subdesarrollado. Por ejemplo, nadie puede predecir con exactitud la inflación o el crecimiento del producto nacional de los Estados Unidos de América para los próximos cinco o diez años, pero el rango de error puede no pasar de más o menos dos puntos porcentuales. Seguramente nadie se atrevería a proyectar la inflación y crecimiento del producto nacional de algún país latinoamericano a menos que esté dispuesto a aceptar errores de probablemente más de diez puntos porcentuales.

Esto hace más sencilla la proyección y evaluación de proyectos futuros en países desarrollados. Las técnicas y los principios de evaluación son igualmente válidos en cualquier lugar del mundo, pero los supuestos y datos base son más certeros en algunos lugares que en otros.

Por otro lado, *¿por qué se maneja una proyección de flujos de efectivo en la evaluación de proyectos y no una proyección de utilidades?* La razón es muy simple. Sobre el flujo de efectivo es sobre lo que se tiene un valor del dinero en el tiempo. Sobre el flujo de efectivo es sobre lo que hay un costo de oportunidad.

En el momento en que se obtiene un préstamo del banco por $1,000 para llevar a cabo una inversión, en ese mismo momento se comienzan a pagar intereses sobre el crédito, y no cuando se deprecie la inversión, que es lo que se vería en el cálculo de la utilidad. Asimismo, de nada sirve tener una venta de $1,300 si no se cobra, ya que mientras esto último no se dé se tendrán que seguir pagando intereses al banco, o no se podrán obtener intereses por invertir el producto de la venta. Así pues, lo que es relevante en una evaluación de proyectos es el monto y tiempo de los flujos de efectivo.

*¿Tienen que seguirse siempre, de forma estricta, los tres pasos?* En principio lo recomendable es que sí se haga, mas en la realidad esto no siempre se da. ¿Cuándo pueden eliminarse algunos pasos? Por ejemplo, si la inflación es muy pequeña se pueden proyectar directamente los flujos en pesos constantes (en el paso 2) y olvidarse de hacerlo en pesos corrientes (paso 1). Con una inflación grande, el proyectar en pesos corrientes aún y cuando después se traigan a pesos constantes, es importante en la medida que se tengan partidas monetarias, es decir, partidas en el activo o pasivo de la empresa que impliquen una pérdida en el valor real con inflación (por ejemplo, cuentas por cobrar y cuentas por pagar).

También se puede brincar directamente del paso uno al paso tres, aunque no es recomendable, si los flujos de efectivo en pesos corrientes se dividen entre una tasa en términos nominales, y no real. Es decir, una tasa en términos nominales que incluya el valor del dinero en el tiempo en términos reales y la tasa de inflación. Para este ejemplo implicaría dividir los flujos en pesos corrientes del paso uno entre uno más 0.32, o 1.32, que es la tasa compuesta de la inflación y de la tasa de descuento real ((1+0.20)(1+0.10)-1).

Ahora, *¿qué pasaría si se tratara de la evaluación de un proyecto pasado?* (véase cuadro 3). En esencia se trata del mismo proceso de

CUADRO 3

**ESQUEMA GENERAL EN LA EVALUACIÓN DE PROYECTOS PASADOS**

| | **-2** | **-1** | **0** |
|---|---|---|---|
| **1. Flujos de efectivo pasados en pesos corrientes** | -100 | 80 | 100 |
| Actualización de flujos: | | | |
| Inflación del periodo | 25 % | 25 % | |
| Pesos corrientes | -100 | 80 | |
| x | x | x | |
| (1 + inflación )$^t$ | $(1+0.25)^2$ | (1+0.25) | |
| **2. Flujos de efectivo en pesos constantes** | -156 | 100 | 100 |
| Valor del dinero: | | | |
| Tasa de descuento | 10% | 10% | |
| Pesos constantes | -156 | 100 | |
| x | x | x | |
| (1 + tasa)$^t$ | $(1+0.1)^2$ | (1+0.1) | |
| **3. Flujos de efectivo con valor del dinero** | -189 | 110 | 100 |

análisis que con un proyecto de inversión futuro. Se tienen los mismos tres puntos básicos.

Supongamos, como se puede ver en el ejemplo del cuadro 3, que hace dos periodos se hizo una inversión por $100, hace un periodo se tuvo un beneficio neto por $80, y en este periodo se tuvo un último beneficio por $100. Todas estas cifras están en pesos corrientes, es decir, en su expresión o valor que tenían en el momento en que se dieron.

¿Qué debe hacerse para convertir estos flujos de efectivo en pesos corrientes a su equivalente en pesos constantes? De la misma manera, con base en la tasa de inflación observada para cada periodo, ahora deberá incrementarse cada flujo con la inflación. En este caso se debería afectar la inversión de $100 que se dio hace dos periodos multiplicándola por 1 más 0.25, o 1.25, elevada al cuadrado, ya que se trata de llevarla dos periodos adelante. El flujo de $80 que se tuvo el periodo pasado se multiplica también por 1 más 0.25, o 1.25, para obtener el flujo en pesos constantes de $100. Por último, el flujo de este periodo de $100 no se vería afectado por la inflación, ya que se acaba de recibir.

Con esta operación se tendrían los flujos de efectivo pasados en pesos constantes al día de hoy. Una vez más, los flujos de efectivo ya son comparables en este punto en cuanto a su poder de consumo, más no en cuanto al tiempo. ¿Por qué? Bueno, pues ya se sabe cuál sería, por ejemplo, el valor de la inversión que se hizo hace dos periodos, pero ¿dónde se representan los intereses que se pudieron haber generado durante estos dos periodos, es decir, el costo de oportunidad?

Para esto ahora debe agregarse a cada flujo la tasa de descuento, es decir, la tasa que represente el valor del dinero en el tiempo. Para este caso se ha supuesto también un costo de oportunidad de 10% por periodo, y cada flujo en pesos constantes debe multiplicarse por uno más 0.10, o 1.10, elevado a la potencia de los periodos que separen al flujo del momento presente. Por esto, la inversión de $156 se multiplica por 1.10 elevado al cuadrado, para obtener una cifra de $189. Esto implicaría que, de la inversión que se hizo hace dos periodos por $100, equivale a $156 si la actualizamos con la inflación y que es lo que se requeriría en principio el día de hoy para una inversión igual, y equivale a $189 si se le agrega el valor del dinero en el tiempo y que es lo que se tendría hoy si en vez de haber realizado la inversión se hubiese mantenido el dinero en otra inversión alternativa.

Llevar a cabo la evaluación de un proyecto pasado tiene la ventaja sobre una evaluación de un proyecto futuro que al menos se conocen los datos con mayor precisión. Se conocen con toda precisión los flujos de efectivo reales, se tienen elementos para determinar con mayor precisión la inflación que afectó al proyecto, y se sabe el costo de oportunidad que se tuvo por no tomar una segunda alternativa de inversión.

Los flujos de efectivo en el punto tres, que para una evaluación de proyectos futuros implicaba tener flujos de efectivo a valor presente, en el caso de una evaluación de proyectos pasados implicaría tener flujos de efectivo a valor futuro.

### *Reevaluación de proyectos en el tiempo*

*La evaluación de un proyecto de inversión no se debería hacer solamente al inicio de la vida de éste para justificar la inversión. Debe llevarse a cabo un monitoreo de forma constante, ya que los supuestos iniciales seguramente variarán. En el tiempo pueden mantenerse los supuestos iniciales en lo general y por lo tanto continuar con el proyecto, pero también puede ser que la variación en los supuestos sea tal que convenga abandonar el proyecto o, por contra, incrementar la actividad en éste.*

Es muy raro encontrar a una corporación que esté revisando constantemente sus proyectos de inversión. ¿Cómo es posible que aún después de que la evaluación inicial haya sido favorable, no se lleve un control sobre el proyecto y su viabilidad? ¿Acaso millones de pesos invertidos en un proyecto no justifican su monitoreo continuo?

Un esquema general de lo que debería hacerse con la evaluación de un proyecto de inversión durante el tiempo de vida de éste se presenta en el cuadro 4. Antes de iniciar el proyecto, en el año o momento 0, se debe llevar a cabo, como normalmente se hace, una evaluación del proyecto. Para esto se contará con una inversión inicial estimada y flujos de efectivo futuros proyectados.

Normalmente, si la evaluación del proyecto es favorable, entonces se llevará a cabo éste. Pero, ¿qué pasará después? Normalmente no pasa

CUADRO 4

**ESQUEMA GENERAL EN LA EVALUACIÓN DE PROYECTOS DURANTE EL TIEMPO**

Año 0 (antes de iniciar el proyecto)

| Inversión inicial | Flujo año 1 | Flujo año 2 | Flujo año 3 | Flujo año 4 | Flujo año 5 |
|---|---|---|---|---|---|
| Estimado | Proyectado | Proyectado | Proyectado | Proyectado | Proyectado |

VPN

Año 1 (al cabo de un año de vida del proyecto)

| Inversión inicial | Flujo año 1 | Flujo año 2 | Flujo año 3 | Flujo año 4 | Flujo año 5 |
|---|---|---|---|---|---|
| Real | Real | Reproyectado | Reproyectado | Reproyectado | Reproyectado |

VPN

Año 2 (al cabo de dos años de vida del proyecto)

| Inversión inicial | Flujo año 1 | Flujo año 2 | Flujo año 3 | Flujo año 4 | Flujo año 5 |
|---|---|---|---|---|---|
| Real | Real | Real | Reproyectado | Reproyectado | Reproyectado |

VPN

Año 3 (al cabo de tres años de vida del proyecto)

| Inversión inicial | Flujo año 1 | Flujo año 2 | Flujo año 3 | Flujo año 4 | Flujo año 5 |
|---|---|---|---|---|---|
| Real | Real | Real | Real | Reproyectado | Reproyectado |

VPN

Año 4 (al cabo de cuatro años de vida del proyecto)

| Inversión inicial | Flujo año 1 | Flujo año 2 | Flujo año 3 | Flujo año 4 | Flujo año 5 |
|---|---|---|---|---|---|
| Real | Real | Real | Real | Real | Reproyectado |

VPN

nada en las corporaciones. Todos se olvidan de los recursos invertidos en el proyecto y su constante reevaluación.

¿Qué debe hacerse? Constantemente cada año, o cada cierto periodo, debe reevaluarse el proyecto con los datos reales que se tengan al momento y con una reproyección de los flujos futuros.

Por ejemplo, al cabo de un año (cuadro 4) ya se tendría la información real de la inversión inicial y el flujo del primer año. También se tendrían nuevos supuestos y datos para poder reproyectar los flujos del segundo al último año. Con estos nuevos datos se puede reevaluar el proyecto al año uno, tomando parte del proyecto (inversión inicial y el primer año) como una evaluación de un proyecto pasado, y el resto (a partir del segundo año) como una evaluación de un proyecto futuro.

Al cabo de dos años ya se tendría información real de la inversión inicial y de los flujos de los primeros dos años. Ahora también se tendrían nuevos supuestos y datos para reproyectar los flujos del tercero al último año. Y una vez más, hay que reevaluar el proyecto.

Nadie puede garantizar que los supuestos y datos iniciales se darán. Por lo tanto, ¿qué justifica dejar a la deriva sin una nueva reevaluación a los millones de pesos invertidos en el proyecto?

*Un ejecutivo financiero debe mantener un control y una reevaluación constante sobre los proyectos que se acepten, lo que implica mantener un control sobre los beneficios que genere la inversión en activo fijo y en el activo en general.*

Con este control se podrá determinar con oportunidad si es necesario salir de algún proyecto que ha dejado de ser rentable, o incrementar la actividad en alguno cuyas perspectivas hayan mejorado significativamente. De la misma manera, proyectos que no sean aceptados pudieran ser reevaluados en el futuro, ya que este mismo cambio de supuestos y datos puede hacerlos atractivos para la corporación en el futuro.

### *Técnicas de evaluación*

Finalmente deben analizarse las distintas técnicas de evaluación de proyectos de inversión que se tienen. Para llevar a cabo una evaluación deben tenerse primero los flujos de efectivo esperados.

En el cuadro 5 se presenta un par de proyectos hipotéticos, el "A" y el "B". Cada uno tiene duración de cuatro periodos, y con flujos de efectivo en pesos constantes, es decir, ya eliminado el efecto de la inflación.

CUADRO 5

**FLUJOS DE EFECTIVO ESPERADOS PARA LOS PROYECTOS "A" Y "B"**

**FLUJOS DE EFECTIVO EN PESOS CONSTANTES**

| Periodo | Proyecto A | Proyecto B |
|---|---|---|
| 0 | -1,000 | -1,000 |
| 1 | 500 | 100 |
| 2 | 400 | 300 |
| 3 | 300 | 400 |
| 4 | 100 | 600 |

*Sobre estos dos proyectos de inversión se aplicarán cinco técnicas de evaluación: periodo de recuperación, periodo de recuperación descontado, valor presente neto, tasa interna de retorno, e índice de rentabilidad. Ninguna de estas técnicas es autosuficiente. Todas proporcionan alguna información relevante en la toma de decisiones. Lo importante para cualquier tomador de decisiones es entender el significado de cada una de ellas, su determinación y sus limitaciones, con objeto de que pueda establecer un esquema de decisión lo más amplio posible donde se puedan evaluar los riesgos y posibles beneficios que representa cada alternativa de inversión para la corporación.*

Así pues, se analizará cada técnica por separado.

### *Periodo de recuperación (PR)*

*El periodo de recuperación (PR) ('payback' en inglés) es simplemente la medición del número de periodos que tomará, con base en los flujos de efectivo netos futuros esperados, la recuperación de la inversión inicial.*

De esta manera (véase cuadro 6), el periodo de recuperación del proyecto A es de 2.33 periodos, mientras que el del proyecto B es de 3.33

CUADRO 6

**1. PERIODO DE RECUPERACIÓN (PR)**
(PAYBACK)

| Periodo | Proy.A | $PR_A$ | Proy.B | $PR_B$ |
|---|---|---|---|---|
| 0 | -1,000 | -1,000 | -1,000 | -1,000 |
| 1 | 500 | +500 | 100 | +100 |
| | | -500 | | -900 |
| 2 | 400 | +400 | 300 | +300 |
| | | -100 | | -600 |
| 3 | 300 | | 400 | +400 |
| | | | | -200 |
| 4 | 100 | | 600 | |

Saldo residual: $\frac{100}{300} = 0.33$ $\quad$ $\frac{200}{600} = 0.33$

$PR_A$ = **2.33** $\quad$ $PR_B$ = **3.33**

periodos. ¿Cuál es mejor? Siempre se preferirá la recuperación más rápida posible, ya que el tiempo en sí representa un riesgo.

La técnica de periodo de recuperación tiene algunas ventajas y desventajas. *Algunas ventajas sobre la técnica de periodo de recuperación son*:

- *Simplísimo de entender y explicar.*
- *Es una medida de riesgo sobre el tiempo.*

¿Qué debe entenderse con estas ventajas? Cuando se dice que el periodo de recuperación es simplísimo de entender y explicar se refiere simplemente a eso. Su obtención no requiere ni siquiera de una calculadora. Además, es muy fácil de explicar a cualquier persona, aun cuando no tenga el más mínimo de conocimiento de la teoría financiera. Simplemente, imaginar en cuántos periodos se podrá recuperar la inversión inicial es tan lógico que es lo primero que todos hacemos cuando se nos presenta una alternativa de inversión.

Por otro lado, se considera una medida de riesgo en tiempo ya que indica por cuánto tiempo los recursos invertidos estarán en juego sin haberse recuperado. Una vez más aquí, mientras más incierto o inestable sea un país, la técnica de periodo de recuperación cobra importancia. El tiempo de recuperación puede ser poco relevante en la decisión en países muy estables, pero en países poco estables cualquier inversionista o empresario considerará como primordial recuperar su inversión a lo mucho en cierto número de años.

*Algunas desventajas que presenta el periodo de recuperación son*:

- *No considera el valor del dinero en el tiempo.*
- *Visión limitada, no considera los flujos posteriores al periodo de recuperación.*
- *No necesariamente maximiza el valor de la empresa.*

¿Qué debe entenderse con estas desventajas? Efectivamente la técnica de periodo de recuperación no toma en cuenta el valor del dinero en el tiempo, lo cual implica que se le da el mismo valor al flujo inicial que a los flujos futuros. Es decir, se calcula el tiempo de recuperación de la inversión inicial, pero sin tomar en cuenta que ésta tuvo un costo de oportunidad y un riesgo en el tiempo.

Se dice que el periodo de recuperación tiene una visión limitada, ya que no considera los flujos posteriores a la recuperación. Esto es cierto en el sentido que por principio se tomaría aquel proyecto que se recupere más rápido, sin que se tome en cuenta que probablemente el que se recupere más tarde tenga mejores flujos posteriores.

Por último, no necesariamente maximiza el valor de la corporación, ya que si se toma una decisión de inversión con el periodo de recuperación, seguramente se estará tomando el proyecto que implique menor riesgo en el tiempo, pero no aquel que ofrezca mayor beneficio financiero a la corporación.

### *Periodo de recuperación descontado (PRD)*

*El periodo de recuperación descontado (PRD) ('discounted payback' en inglés) es la medición del número de periodos que tomará, con base en los flujos de efectivo netos futuros esperados, la recuperación de la inversión inicial, pero considerando el valor del dinero en el tiempo o bien el pago de intereses.*

De esta manera (véase cuadro 7) el periodo de recuperación descontado del proyecto A es de 2.95 periodos, mientras que el del proyecto B es de 3.88 periodos. ¿Cuál es mejor? Igual que con el periodo de recuperación simple, siempre se preferirá la recuperación más rápida posible, ya que el tiempo en sí representa un riesgo.

La técnica de periodo de recuperación descontado tiene algunas ventajas y desventajas. *Algunas ventajas sobre la técnica de periodo de recuperación descontado son:*

- *Considera el valor del dinero en el tiempo.*
- *Simple de entender y explicar.*
- *Es una medida de riesgo sobre el tiempo.*

¿Qué debe entenderse con estas ventajas? El periodo de recuperación descontado considera el valor del dinero en el tiempo, es decir, se calcula una vez descontados los flujos futuros esperados. Para la determinación del PRD se afectaron primero los flujos con la tasa de descuento y posteriormente se calculó el periodo de recuperación. El PRD refleja no sólo el tiempo de recuperación de la inversión inicial, sino también los intereses que habría implicado el financiamiento esta inversión.

Cuando se dice que el periodo de recuperación descontado (PRD) es simple de entender y explicar se refiere, a diferencia del periodo de recuperación (PR), a que es simple, ya no simplísimo. Si bien el proceso sigue siendo lógico, la inclusión del valor del dinero en el tiempo ya complica el cálculo y la percepción del método en la mente del tomador de decisiones. Aunque sigue siendo fácil de explicar a cualquier persona, ya no lo es tanto como con el periodo de recuperación simple (PR).

CUADRO 7

**2. PERIODO DE RECUPERACIÓN DESCONTADO (PRD)**
(DISCOUNTED PAYBACK)

| Periodo | Proy.A | Flujos A descontados | $PRD_A$ |
|---|---|---|---|
| 0 | -1,000 | $-1{,}000 / (1+0.1)^0 = -1{,}000$ | -1,000 |
| 1 | 500 | $500 / (1+0.1)^1 = 455$ | + 455<br>- 545 |
| 2 | 400 | $400 / (1+0.1)^2 = 331$ | + 331<br>- 214 |
| 3 | 300 | $300 / (1+0.1)^3 = 225$ | |
| 4 | 100 | $100 / (1+0.1)^4 = 68$ | |

$PRD\ (10\%)_A =$ **2.95**

| Periodo | Proy.B | Flujos B descontados | $PRD_B$ |
|---|---|---|---|
| 0 | -1,000 | $-1{,}000 / (1+0.1)^0 = -1{,}000$ | -1,000 |
| 1 | 100 | $100 / (1+0.1)^1 = 91$ | + 91<br>- 909 |
| 2 | 300 | $300 / (1+0.1)^2 = 248$ | + 248<br>- 661 |
| 3 | 400 | $400 / (1+0.1)^3 = 301$ | + 301<br>- 360 |
| 4 | 600 | $600 / (1+0.1)^4 = 410$ | |

$PRD\ (10\%)_B =$ **3.88**

Por otro lado, el periodo de recuperación descontado sigue siendo una medida de riesgo en tiempo ya que indica por cuánto tiempo los recursos invertidos estarán en juego sin haberse recuperado, incluyendo incluso la recuperación del valor del dinero en el tiempo.

*Algunas desventajas que presenta el periodo de recuperación descontado son*:

- *Hay que estimar una tasa de descuento.*
- *Visión limitada, no considera los flujos posteriores al periodo de recuperación.*
- *No necesariamente maximiza el valor de la empresa.*

¿Qué debe entenderse con estas desventajas? La estimación de la tasa de descuento, del valor del dinero en el tiempo, no es algo fácil de hacer y justificar en la realidad, tal como ya se comentó al inicio de este capítulo.

Al igual que con el periodo de recuperación (PR), el periodo de recuperación descontado (PRD) tiene una visión limitada, ya que no considera los flujos posteriores a la recuperación, y no necesariamente maximiza el valor de la corporación.

### *Valor presente neto (VPN)*

*El valor presente neto (VPN) o valor actual neto (VAN) ('net present value' (NPV) en inglés) es el beneficio del proyecto, a valor presente, en exceso para la corporación, una vez descontado el costo de las fuentes de financiamiento y el pago de la inversión inicial.*

La definición matemática del valor presente neto (véase cuadro 8) es la sumatoria desde cero hasta "n" del valor presente de los flujos esperados para el proyecto. Es decir, consiste en tomar los valores presentes de cada flujo y sumarizarlos, o bien, sacar un valor neto de toda la serie de flujos descontados, incluyendo la inversión inicial.

De esta manera, en el cuadro 8 se puede ver el cálculo matemático del valor presente neto del proyecto A, cuyo resultado es de $78.82, mientras que el del proyecto B es de $49.18. ¿Cuál es mejor? Definitivamente $78.82 son más que $49.18, lo que implica que el proyecto A puede aportar mayor riqueza a la corporación.

*¿Cómo deben entenderse todas estas definiciones del valor presente neto?* En el cuadro 9 se muestra un esquema en el tiempo de cómo se verían los flujos para el cálculo del VPN. Se puede apreciar la inversión inicial y el flujo esperado para cada periodo, la aplicación que se le daría

CUADRO 8

**3. VALOR PRESENTE NETO (VPN) O VALOR ACTUAL NETO (VAN)**

(NET PRESENT VALUE (NPV))

$$\mathbf{VPN} = \sum_{t=0}^{n} \frac{St}{(1+i)^t}$$

siendo $S_t$ = flujo de efectivo en el periodo "t"
n = número de periodos de vida del proyecto
i = tasa de descuento

$$VPN\ (10\%)_A = \frac{-1000}{(1+0.1)^0} + \frac{500}{(1+0.1)^1} + \frac{400}{(1+0.1)^2} + \frac{300}{(1+0.1)^3} + \frac{100}{(1+0.1)^4}$$

$$VPN\ (10\%)_A = -1000 + 455 + 331 + 225 + 68$$

$$VPN\ (10\%)_A = \mathbf{\$78.82}$$

$$VPN\ (10\%)_B = \frac{-1000}{(1+0.1)^0} + \frac{100}{(1+0.1)^1} + \frac{300}{(1+0.1)^2} + \frac{400}{(1+0.1)^3} + \frac{600}{(1+0.1)^4}$$

$$VPN\ (10\%)_B = -1000 + 91 + 248 + 301 + 410$$

$$VPN\ (10\%)_B = \mathbf{\$49.18}$$

a cada flujo en pago de intereses, en amortización de la deuda y como sobrante, así como el saldo de la deuda en cada periodo.

Así, al final del cuarto periodo el saldo sería, considerando el último flujo, el sobrante y los intereses a favor generados, un total de \$115.40. Esto equivale al valor futuro neto (VFN) en el periodo cuatro. Este VFN de \$115.40 traído a valor presente (115.40 entre 1.10 elevado a la potencia 4) equivale al valor presente neto de \$78.82.

Con este esquema de demostración del valor presente neto se puede entender la definición inicial que se hizo. Los \$78.82 de VPN del proyec-

CUADRO 9

## DEMOSTRACIÓN DEL VALOR PRESENTE NETO

| Periodo | Flujo | Aplicación del flujo | Deuda |
|---|---|---|---|
| 0 | -$1,000 | | $1,000 |
| 1 | +$500 | Pago de intereses: $100<br>(10% del saldo de la deuda)<br>Amortización de deuda: $400 | $600 |
| 2 | +$400 | Pago de intereses: $60<br>(10% del saldo de la deuda)<br>Amortización de deuda: $340 | $260 |
| 3 | +$300 | Pago de intereses: $26<br>(10% del saldo de la deuda)<br>Amortización de deuda: $260<br>Sobrante: $14 | $0 |
| 4 | +$100 | | |

Total al final del periodo 4:

| |
|---|
| $100.00 de flujo del periodo 4<br>$14.00 de sobrante del periodo 3<br>$1.40 de intereses del sobrante del periodo 3 a una tasa del 10% |
| $115.40 de saldo total al final del periodo 4 |

$VFN_4$ (10%) = $115.40 que equivale a un VPN(10%) = $78.82

to A son un beneficio en exceso, a valor presente, para la corporación, después de haber pagado el costo de las fuentes de financiamiento (intereses en este caso) y la recuperación de la inversión inicial (amortización de deuda en este caso).

Como probablemente ya se está observando en *el cálculo del valor presente neto, éste tiene ciertas consideraciones implícitas* (véase cuadro 10) que vale la pena analizar. Para empezar, la definición de la fórmula matemática del VPN, considera que *las tasas activas son iguales a las tasas pasivas*. La tasa activa es la que cobra el banco por los recursos que presta a las empresas. La tasa pasiva es la que paga el banco al ahorrador.

En la realidad la tasa activa es mayor a la pasiva. Sin embargo, y como se vio en la demostración del valor presente neto (cuadro 9), cuando se tenía deuda con el banco se pagó una tasa de interés al banco del 10%. Cuando se tuvo un sobrante al final se recibieron intereses al 10%

CUADRO 10

**CONSIDERACIONES IMPLÍCITAS EN LA FÓRMULA MATEMÁTICA DEL VPN**

1. Las tasas activas son iguales a las tasas pasivas.
2. Los flujos de efectivo futuros se dan al final de cada periodo.
3. La tasa de descuento se mantiene constante en el tiempo.
4. Los saldos en el tiempo se reinvierten constantemente a la tasa de descuento.
5. Todos los periodos de tiempo son iguales entre sí.

también. Esto puede ser irrelevante en el análisis, pero si el lector considera en algún momento que puede no ser irrelevante entonces habría que hacer el cálculo del VPN de forma manual. ¿Cómo? Para cada periodo debería definirse si hay faltante o sobrante de dinero, y aplicar una tasa activa o pasiva según sea el caso.

Una segunda consideración implícita (cuadro 10) es que *los flujos de efectivo se dan al final de cada periodo*. Esta segunda consideración puede ser poco importante si se supone que los periodos son meses. Pensar que el flujo se da durante, o a la mitad del mes, en lugar de al final, puede ser poco relevante en el resultado. Pero si los periodos son años, entonces la consideración puede llevar a resultados significativamente distintos. No es lo mismo un flujo durante el año, en promedio al 30 de junio, que un flujo al último día del mes de diciembre.

Una vez más, si el lector considera que vale la pena ajustar esta consideración, entonces habría que sacar una vez más el VPN sin la ayuda de la calculadora. Para ponderar que el flujo se da en promedio en el periodo y no al final de éste, habría que descontar los flujos de efectivo con una tasa elevada a una potencia fraccionaria en lugar de entera. Así, el flujo del primer año deberá descontarse con la tasa elevada a la potencia 1/2 en lugar de a la potencia 1. El flujo del segundo año deberá descontarse con la tasa elevada a la potencia 3/2 en lugar de a la potencia 2, el flujo del tercer año a la potencia 5/2 en lugar de a la potencia 3, y el flujo del cuarto año a la potencia 7/2 en lugar de a la potencia 4.

Una tercera consideración (cuadro 10) es que *la tasa de descuento se mantiene constante en el tiempo*. Por esta razón la tasa se puede elevar a una potencia. En caso de que la tasa no permaneciera constante, entonces habría que ir acumulando las tasas de descuento para cada periodo: $(1+i_1)(1+i_2).....(1+i_t)-1$.

Una cuarta consideración implícita (cuadro 10) es que *los saldos se reinvierten constantemente a la tasa de descuento*. Esto implica que la posibilidad de dejar el dinero "debajo del colchón" no existe. Como se puede observar en la demostración del valor presente neto (cuadro 9), en todo momento se pagaron intereses mientras hubo una deuda, y en todo momento mientras hubo un sobrante se recibió un interés. Ésta puede ser una consideración muy realista con nuestra situación actual, en la que el dinero tiene siempre un costo o una alternativa de inversión.

La quinta y última consideración implícita (cuadro 10) es que *todos los periodos de tiempo son iguales entre sí*. Esto quiere decir que, por ejemplo, no se puede suponer que el primer periodo es un mes, el segundo un semestre y el tercero un trimestre. Si éste fuera el caso, entonces debe ajustarse todo a la unidad más pequeña, en este caso el mes. Así, se diría que, en el caso del proyecto A, el primer flujo de $500 se tiene en el periodo 1, del periodo 2 al 6 el flujo es cero, en el periodo 7 (un semestre después del flujo de $500) se tendría el flujo de $400, del periodo 8 a 9 el flujo es cero, y en el periodo 10 (un trimestre después del flujo de $400) se tendría el flujo de $300.

Tal como se había comentado en capítulos anteriores, *algo que debe cuidar cualquier ejecutivo, aún con estas consideraciones implícitas en el cálculo del valor presente neto, es el de mantener lo más simple posible cualquier modelo de decisión.*

La técnica de valor presente neto tiene algunas ventajas y desventajas. *Algunas ventajas sobre la técnica de valor presente neto son:*

- *Considera el valor del dinero en el tiempo.*
- *Considera todos los flujos del proyecto.*
- *Maximiza el valor de la empresa.*
- *El VPN de varios proyectos es acumulable.*

¿Qué debe entenderse con estas ventajas? El valor presente neto considera el valor del dinero en el tiempo, es decir, se calcula una vez descontados los flujos futuros esperados. Para la determinación del VPN se afectaron primero los flujos con la tasa de descuento y posteriormente se sumarizaron para obtener un valor neto. El VPN muestra el valor del proyecto después de pagar el costo de las fuentes de financiamiento.

A diferencia del periodo de recuperación, el valor presente neto toma en cuenta para su cálculo todos los flujos del proyecto, desde la inversión inicial hasta el flujo que se da en el último periodo.

El valor presente neto maximiza el valor de la empresa. Es más, es la única técnica que puede ayudar a este propósito. Cuando la decisión de inversión en un proyecto se hace sobre la base de VPN, es seguro que se está tomando la alternativa que ofrece incrementar en mayor cantidad el valor de la corporación. Puede ser que el VPN no tome en cuenta otros aspectos, como pueden ser los relacionados con riesgo, pero definitivamente es el único que puede ayudar tomar la alternativa que más valor ofrece.

Cuando se tienen varios proyectos, y éstos se decide llevarlos a cabo en conjunto, entonces los valores presentes netos de cada uno se pueden sumar algebraicamente y obtenerse un VPN total de todos los proyectos. En cualquiera de las otras técnicas, éstas deberían volverse a calcular con los flujos de efectivo acumulados de todos los proyectos.

*Algunas desventajas que presenta el valor presente neto son*:

- *Hay que estimar una tasa de descuento.*
- *Complicado.*

¿Qué debe entenderse con estas desventajas? La estimación de la tasa de descuento, del valor del dinero en el tiempo, no es algo fácil de hacer y justificar en la realidad, tal como ya se comentó al inicio de este capítulo.

Por otro lado, el cálculo del valor presente neto ya no es fácil de llevar a cabo, ni fácil de explicar. Su concepto ya requiere de cierto conocimiento financiero para quien quiere entenderlo.

### *Otras definiciones del VPN*

*Otra forma de definir el valor presente neto es simplemente como el valor de un proyecto.* Si se fuera a vender el proyecto A, entonces el valor mínimo al que debería venderse es precisamente en $78.82. Si se fuera a comprar el proyecto A, entonces el valor máximo al que debería comprarse es $78.82.

¿Por qué valor mínimo y máximo? En caso de estarse vendiendo el proyecto A, lo que indica el VPN de $78.82 es que ése es el beneficio que podría obtenerse si se llevara a cabo. ¿Por qué habría de venderse a una cantidad inferior a ésta? Si alguien estuviese dispuesto a pagar exactamente $78.82 implicaría que es indistinto llevar a cabo el proyecto o venderlo. Si alguien ofrece cualquier cantidad superior a $78.82, implicaría que es mejor vender el proyecto que llevarlo a cabo.

¿Por qué alguien estaría dispuesto a pagar más de $78.82 por el proyecto A? Debemos mantener en mente que *no todo mundo ve a un proyecto de la misma forma.* Para alguien el proyecto A puede parecer un mejor proyecto. ¿Por qué? Ya sea porque tenga una tasa de descuento menor —que pueda conseguir los recursos más baratos—, porque no tenga la necesidad de llevar a cabo toda la inversión inicial —debido a que ya tenga parte de ésta—, o porque espere flujos de efectivo en el futuro mayores a los planteados.

Así pues, *el VPN representa el valor de venta mínimo de un proyecto.* Para la negociación con el vendedor sería ideal contar con una aproximación del VPN que éste percibe. El valor final de la operación se debiera ubicar entre el VPN del vendedor y del comprador.

Por contra, si lo que se pretende es comprar el proyecto A, entonces lo máximo que se estaría dispuesto a pagar debiera ser $78.82. El vendedor estaría dispuesto a vender solamente si prevé un VPN menor a esta cantidad. Una vez más, el precio final de la transacción debiera ubicarse entre el VPN del vendedor y del comprador. Lo ideal es poder estimar el VPN de la contraparte para tener una ventaja en el momento de la negociación.

*Algunas conclusiones importantes pueden ser las siguientes:*

- *El VPN es el valor de un proyecto.*
- *Diferentes personas pueden percibir distintos VPN en un mismo proyecto, ya sea porque partan de tasas de descuento diferentes, de otras inversiones iniciales, y/o de otros flujos futuros esperados.*
- *Para que se dé una transacción comercial necesariamente el VPN del vendedor debe ser menor al VPN del comprador.*
- *El precio final de la transacción se ubicará en algún lugar entre el VPN del comprador y el del vendedor.*
- *Quien tenga mayor habilidad de negociación logrará que el precio final de la transacción se acerque lo más posible al VPN de su contraparte.*

- *El ejecutivo no sólo debe considerar su VPN, sino estimar el que pueda ser el de su contraparte, con objeto de contar con información y parámetros de referencia al momento de la negociación.*

*Otra forma de definir el valor presente neto puede ser el monto en que se incrementarán los precios de las acciones de la empresa en el caso de que se lleve a cabo el proyecto*. Es decir, si cierta empresa decidiera llevar a cabo el proyecto A, entonces, en el momento que el mercado se enterara de esto, debiera esperarse que el valor total de sus acciones se incrementara en $78.82. En otras palabras, lo que el mercado accionario hace es descontar los flujos futuros esperados y añadírselos al precio de las acciones.

De esta manera, *se puede decir que el objetivo estratégico de cualquier ejecutivo en la organización es llevar a cabo las acciones necesarias para incrementar lo más posible el valor presente neto de la corporación*. Es decir, no se trata de tener el máximo beneficio, o el máximo rendimiento, este año, ni el próximo, sino de llevar a cabo las acciones necesarias para que la sumatoria de los beneficios futuros, descontados con el valor del dinero en el tiempo, sea lo más grande posible.

### *El VPN con diversas tasas de descuento*

¿Qué pasaría si se cambiara la tasa de descuento para el cálculo del valor presente neto? En general, para proyectos normales, el VPN aumentará conforme se reduzca la tasa de descuento, y el VPN disminuirá conforme aumente la tasa de descuento.

Por ejemplo, en el caso de los proyectos A y B, si éstos se evaluaran con tasas de descuento de 0%, de 5% y de 10%, entonces el VPN cambiaría para cada caso. Los resultados de estas evaluaciones serían las siguientes:

| Tasa de descuento | VPN A | VPN B |
|---|---|---|
| 0% | $300.00 | $400.00 |
| 5% | $180.42 | $206.50 |
| 10% | $78.82 | $49.18 |

Como se puede ver, a mayor tasa el VPN de cada proyecto se reduce. Más aún, con una tasa del 10% el proyecto A tiene un VPN mayor que el del proyecto B. Sin embargo, con una tasa del 5% o del 0% el VPN del proyecto B es mayor al que presenta el proyecto A. ¿A qué se debe esto?

Aunque este efecto no se ve necesariamente en toda comparación de dos proyectos de inversión, la razón de esto se debe a la distribución de los flujos. En este caso, como lo puede ver en la distribución de los flujos, el proyecto A tiene los beneficios más grandes en los primeros periodos, por lo que el efecto del crecimiento en la tasa de descuento es menor que en el caso del proyecto B, que tiene los beneficios más grandes en los últimos periodos, siendo éstos afectados por una tasa de descuento elevada a la potencia cuarta.

Una forma de visualizar el VPN de un proyecto para cualquier tasa es con la conceptualización gráfica de éste. En el cuadro 11 se puede observar esta gráfica. En el eje de las abscisas (eje X) se miden los diferentes valores de la tasa de descuento (i). En el eje de las ordenadas (eje Y) se mide el valor presente neto del proyecto (VPN). Así, la función de un proyecto de inversión muestra una pendiente negativa. A mayor tasa de descuento, menor VPN.

En un extremo, hay una tasa que hará el VPN igual a cero. Esta tasa de descuento es lo que se conoce como tasa interna de retorno o TIR.

## *Tasa interna de retorno (TIR)*

La tasa interna de retorno (TIR) ('internal rate of return' (IRR) en inglés) es la tasa de descuento máxima que puede exigírsele a un proyecto.

La definición matemática de la tasa interna de retorno (TIR) (véase cuadro 12) es la sumatoria desde cero hasta "n" del valor presente de los flujos esperados para el proyecto, descontados a una tasa tal que se obtenga un

CUADRO 11

## GRÁFICA DE LA FUNCIÓN DEL VPN

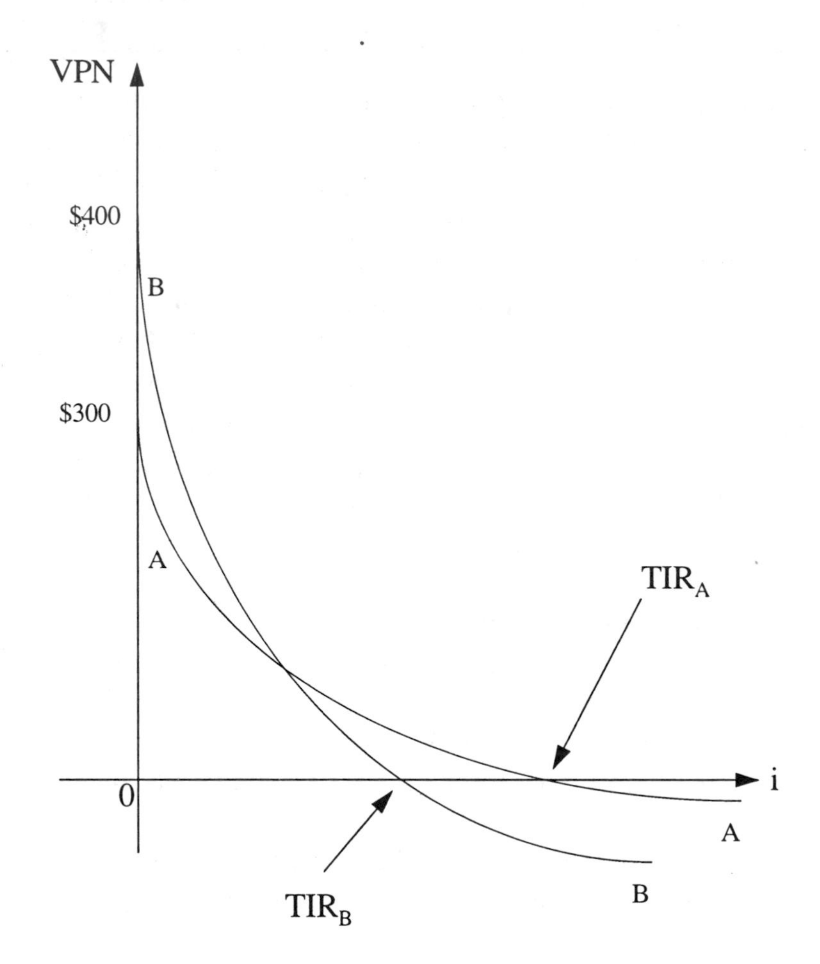


valor presente neto (VPN) igual a cero. Es decir, consiste en encontrar una tasa de descuento para que, conocidos los flujos de efectivo esperados para el proyecto, nos arroje un VPN igual a cero, que es el valor mínimo que puede aceptarse.

De esta manera, en el cuadro 12 se puede ver el planteamiento matemático de la tasa interna de retorno del proyecto A, cuyo resultado es de

CUADRO 12

**4. TASA INTERNA DE RETORNO (TIR)**
(INTERNAL RATE OF RETURN (IRR))

$$VPN = \sum_{t=0}^{n} \frac{St}{(1+i^*)^t} = 0$$

siendo $S_t$ = flujo de efectivo en el periodo "t"
n = número de periodos de vida del proyecto
i* = tasa interna de retorno

$$VPN_A = 0 = \frac{-1000}{(1+i^*)^0} + \frac{500}{(1+i^*)^1} + \frac{400}{(1+i^*)^2} + \frac{300}{(1+i^*)^3} + \frac{100}{(1+i^*)^4}$$

$TIR_A$ = **14.49%**

$$VPN_B = 0 = \frac{-1000}{(1+i^*)^0} + \frac{100}{(1+i^*)^1} + \frac{300}{(1+i^*)^2} + \frac{400}{(1+i^*)^3} + \frac{600}{(1+i^*)^4}$$

$TIR_B$ = **11.79%**

14.49%, mientras que para el proyecto B es de 11.78%. ¿Cuál es mejor? Definitivamente 14.49% es mejor que 11.78%, lo que implica que el proyecto A está más protegido en caso de que la tasa de descuento se incrementara.

*Una mala interpretación común sobre la definición de la tasa interna de retorno (TIR) es que se trata de la rentabilidad del proyecto. Esto es totalmente falso.* La TIR no representa rentabilidad, simplemente la tasa de descuento máxima que puede aceptar el proyecto. Existe otra medición de rentabilidad en la evaluación de proyectos, que es precisamente el índice de rentabilidad (IR), del cual se hablará más adelante. Sin embargo, la TIR simplemente debe verse como un parámetro que nos indica qué tan protegido está un proyecto sobre el riesgo de que aumente la tasa de descuento.

También se busca en ocasiones relacionar a la TIR con el retorno sobre la inversión (RSI), el cual se analizó en el capítulo 4 (el RSI es la división de la utilidad neta entre el activo total promedio). La TIR y el RSI son totalmente distintos. Algunas de sus diferencias son (véase cuadro 13):

*a*) La TIR es una medida de riesgo, mientras que el RSI es una medida de rentabilidad. La TIR nos indica hasta dónde podría soportar el

CUADRO 13

**DIFERENCIAS ENTRE TASA INTERNA DE RETORNO Y RETORNO SOBRE LA INVERSIÓN**

| **TIR**<br>Tasa Interna de Retorno | **RSI**<br>Retorno Sobre la Inversión (*) |
|---|---|
| • Medida de riesgo | • Medida de rentabilidad |
| • Valor del dinero a través del tiempo | • Generación de riqueza con base en la inversión |
| • Tasa anual calculada sobre múltiples periodos | • Tasa anual calculada sobre un solo periodo |
| • Tasa determinada sobre flujos | • Tasa determinada sobre utilidad |

(*) Retorno sobre la inversión = Utilidad neta / Activo total promedio.

proyecto un incremento en la tasa de descuento. Si la TIR es grande, nos indica que el proyecto tiene un margen amplio para el caso de que la tasa de descuento inicialmente prevista se eleve, mas sin embargo no implica que la rentabilidad sea grande. El RSI si es una medida de rentabilidad; mientras mayor sea más rentable es la empresa.

*b*) La TIR es una medida del valor del dinero a través del tiempo, mientras que el RSI es una medida de generación de riqueza con base en la inversión.

*c*) La TIR es una tasa anual calculada sobre múltiples periodos. En el caso del ejemplo del proyecto A, la TIR es de 14.49%, lo que implica que para una tasa máxima promedio al año de 14.49% el VPN sería cero. El 14.49% es una tasa anual, pero obtenido a partir de considerar todos los periodos del proyecto. El RSI es una tasa anual calculada sobre un solo periodo.

*d*) Por último, la TIR se determina a partir de los flujos del proyecto, mientras que el RSI se determina a partir de la utilidad del proyecto.

La técnica de la tasa interna de retorno tiene algunas ventajas y desventajas. *Algunas ventajas sobre la técnica de la tasa interna de retorno son:*

- *Considera el valor del dinero en el tiempo.*
- *Considera todos los flujos del proyecto.*
- *Es una medida de riesgo en tasa.*

¿Qué debe entenderse con estas ventajas? La tasa interna de retorno considera el valor del dinero en el tiempo. Es más, la TIR misma es una medida del valor del dinero en el tiempo.

Al igual que en el VPN, la TIR toma en cuenta para su cálculo todos los flujos del proyecto, desde la inversión inicial hasta el flujo que se da en el último periodo.

Por último, la tasa interna de retorno es una medida de riesgo en cuanto a tasa. Mientras mayor sea la TIR, nos indica que el proyecto está más protegido en caso de que se elevara la tasa de descuento. Una vez más, mientras más incierto es el entorno, mientras más inestable es un país, las medidas de riesgo toman importancia. En un país desarrollado, donde las tasas son estables, la TIR puede ser poco importante. En cambio, en un país inestable donde las tasas de interés son volátiles, donde la decisión de inversión se basa en tasas que pueden variar fácilmente en el futuro, una medida de riesgo sobre la tasa como es la TIR tiene importancia para el tomador de decisiones.

*Algunas desventajas que presenta la tasa interna de retorno son:*

- *Complicadísima.*
- *No necesariamente maximiza el valor de la empresa.*

¿Qué debe entenderse con estas desventajas? El cálculo de la tasa interna de retorno no sólo es difícil matemáticamente hablando. Para empezar, el cálculo de la solución de la TIR a partir de la ecuación planteada es difícil de obtener, ya que no se puede despejar el valor de i*. ¿Cómo se obtiene entonces? Sólo a partir de un proceso de prueba y error, que normalmente se hace con ayuda de una calculadora financiera o de una computadora.

Sin embargo, la tasa interna de retorno tiene otras complicaciones. En caso de proyectos que no sean normales (un proyecto normal es aquel que tiene una inversión inicial y beneficios netos posteriores), el proyecto puede presentar resultados matemáticos válidos de la TIR, pero irrelevantes desde un punto de vista financiero. Un proyecto que no sea normal puede presentar una TIR negativa, lo cual no tiene sentido desde el punto de vista financiero, ya que las tasas negativas no existen. También un proyecto que no sea normal puede presentar varias soluciones para la TIR, las cuales habría que ir analizando con cuidado, así como los rangos que presentan. Por último, un proyecto que no sea normal puede presentar una solución para la TIR que consista en un número irreal o imaginario, es decir, un valor multiplicado por la raíz cuadrada de menos uno ($((-1)^{1/2})$). Todo esto hace que la TIR se pueda volver bastante complicada en su interpretación

La otra desventaja es que la tasa interna de retorno no necesariamente maximiza el valor de la corporación, ya que una TIR grande no implica que se esté tomando el proyecto que genere la mayor riqueza, es decir, el proyecto con el mayor VPN. Lo único que se está determinando, si se utiliza el criterio de la TIR para seleccionar entre dos o más proyectos, es que se está tomando el proyecto con el menor nivel de riesgo.

## *Índice de rentabilidad (IR)*

*El índice de rentabilidad (IR) ('profitability index' (PI) en inglés) es una medida de rentabilidad a valor presente del proyecto, o el beneficio marginal descontado por peso invertido, o simplemente una relación beneficio-costo, pero a valor presente.*

La definición matemática del índice de rentabilidad (IR) (véase cuadro 14) es la razón de la sumatoria desde uno hasta "n" del valor presente de los flujos futuros esperados para el proyecto divididos entre el valor absoluto de la inversión inicial. También se puede definir el IR como la división del valor presente neto (VPN) entre el valor absoluto de la inversión inicial, más uno.

De esta manera, en el cuadro 14 se puede ver el cálculo del índice de rentabilidad para el proyecto A, cuyo resultado es de 1.0788, mientras que para el proyecto B es de 1.0492. ¿Cuál es mejor? Definitivamente 1.0788 es mejor que 1.0492, lo que implica que el proyecto A es más rentable que el B, o que por peso invertido el proyecto A produce un beneficio mayor, a valor presente, que el proyecto B.

Al igual que con la TIR, al IR también se le busca relacionar en ocasiones con el retorno sobre la inversión (RSI), el cual se analizó en el capítulo 4 (el RSI es la división de la utilidad neta entre el activo total promedio). El IR y el RSI tienen algunas semejanzas y algunas diferencias. Estas semejanzas y estas diferencias son (véase cuadro 15):

*a*) Tanto el IR como el RSI son medidas de rentabilidad. Habría sin embargo que insistir en que el IR es una medida de rentabilidad que incluye el concepto de valor presente en su determinación.
*b*) Tanto el IR como el RSI miden la generación de riqueza con base en la inversión.

CUADRO 14

## 5. ÍNDICE DE RENTABILIDAD (IR)
(PROFITABILITY INDEX (PI))

$$\textbf{IR} = \frac{\textbf{VP flujos futuros}}{|\textbf{Inversión inicial}|} = \frac{\textbf{VPN}}{|\textbf{Inversión inicial}|} + \textbf{1}$$

$$\text{IR }(10\%)_A = \frac{\dfrac{500}{(1+0.1)^1} + \dfrac{400}{(1+0.1)^2} + \dfrac{300}{(1+0.1)^3} + \dfrac{100}{(1+0.1)^4}}{1{,}000}$$

o

$$\text{IR }(10\%)_A = \frac{78.82}{1{,}000} + 1 = \mathbf{1.07882}$$

$$\text{IR }(10\%)_B = \frac{\dfrac{100}{(1+0.1)^1} + \dfrac{300}{(1+0.1)^2} + \dfrac{400}{(1+0.1)^3} + \dfrac{600}{(1+0.1)^4}}{1{,}000}$$

o

$$\text{IR }(10\%)_B = \frac{49.18}{1{,}000} + 1 = \mathbf{1.04918}$$

*c*) Una diferencia es que el IR es una razón de rentabilidad calculada sobre múltiples periodos y a valor presente. El RSI es una tasa de rentabilidad calculada sobre un solo periodo.

*d*) Por último, el IR se determina a partir de los flujos del proyecto, mientras que el RSI se determina a partir de la utilidad del proyecto.

La técnica del índice de rentabilidad tiene algunas ventajas y desventajas. *Algunas ventajas sobre la técnica del índice de rentabilidad son:*

CUADRO 15

**SEMEJANZAS Y DIFERENCIAS ENTRE ÍNDICE DE RENTABILIDAD Y RETORNO SOBRE LA INVERSIÓN**

| IR | RSI |
|---|---|
| Índice de Rentabilidad | Retorno Sobre la Inversión (*) |
| • Medida de rentabilidad a valor presente | • Medida de rentabilidad |
| • Generación de riqueza con base en la inversión | • Generación de riqueza con base en la inversión |
| • Razón de rentabilidad calculada sobre múltiples periodos a valor presente | • Tasa de rentabilidad calculada sobre un solo periodo |
| • Tasa determinada sobre flujos | • Tasa determinada sobre utilidad |

(*) Retorno sobre la inversión = Utilidad neta / Activo total promedio.

- *Considera el valor del dinero en el tiempo.*
- *Considera todos los flujos del proyecto.*
- *Es una medida de beneficio marginal.*
- *Es una medida de rentabilidad a valor presente.*
- *Permite comparar proyectos de diferente tamaño.*

¿Qué debe entenderse con estas ventajas? El índice de rentabilidad considera el valor del dinero en el tiempo, ya que para su determinación se parte del valor presente de los flujos, es decir, de los flujos futuros descontados.

Al igual que en el VPN y la TIR, el IR toma en cuenta para su cálculo todos los flujos del proyecto, desde la inversión inicial hasta el flujo que se da en el último periodo.

Es una medida de beneficio marginal, ya que el IR refleja el beneficio que se obtiene por peso invertido, a valor presente. Asimismo, es una medida de rentabilidad a valor presente, ya que expresa el beneficio esperado del proyecto. Esta rentabilidad se muestra como una razón, es decir, uno más la rentabilidad. Por ejemplo, en el proyecto A se puede decir que la rentabilidad a valor presente es 7.88%, ya que el índice de rentabilidad es 1.0788.

Por último, el índice de rentabilidad permite comparar proyectos de diferente tamaño, sobretodo cuando éstos se pueden repetir varias veces. Más adelante se muestra un ejemplo con varios proyectos con inversiones iniciales de distinto tamaño, con lo que queda más claro el uso del índice de rentabilidad.

*Algunas desventajas que presenta el índice de rentabilidad son*:

- *Complicado.*
- *No necesariamente maximiza el valor de la empresa.*

¿Qué debe entenderse con estas desventajas? El cálculo del índice de rentabilidad es tan complicado (o tan simple) como el del valor presente neto, además de que su concepto no es tan fácil de entender para cualquier persona. Aunque se trata de una simple medida de rentabilidad, o de beneficio-costo, el concepto de valor presente que tiene este índice lo hace más complejo que las mediciones comunes.

La otra desventaja es que el índice de rentabilidad no necesariamente maximiza el valor de la corporación, ya que un IR grande no implica que se está tomando el proyecto que genere la mayor riqueza, es decir, el proyecto con el mayor VPN. Lo único que se está determinando, si se utiliza el criterio del IR para seleccionar entre dos o más proyectos, es que se está tomando el proyecto más rentable por peso invertido, pero sin considerar aspectos de tamaño de la inversión.

### *Gráficas de VPN, TIR e IR*

¿Cómo se verían las gráficas para distintos valores de tasa de descuento del valor presente neto, de la tasa interna de retorno y del índice de rentabilidad?

En el cuadro 16 se pueden ver estas gráficas. En la primera, la superior, se ha graficado, con la tasa de descuento en el eje de las abscisas (eje X), y los valores de VPN en el eje de las ordenadas (eje Y). Como se puede ver, a mayor tasa el VPN tiende a disminuir, hasta llegar al punto en que la tasa de descuento es igual a la TIR, con lo que el VPN es igual a

CUADRO 16

**GRÁFICA DE LA FUNCIÓN DE VPN, TIR e IR**

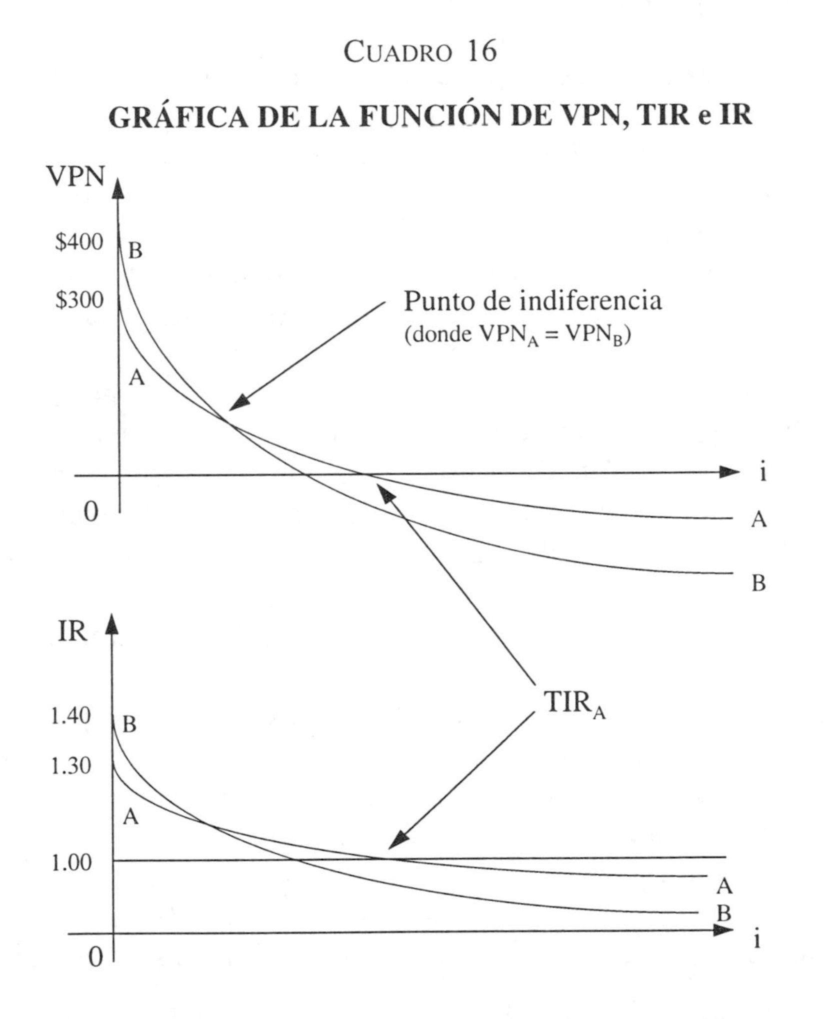

cero. A partir de esta tasa TIR, para tasas mayores el VPN es negativo, y tiende a un valor igual a la inversión inicial.

En el mismo cuadro 16, en la segunda gráfica, la inferior, se ha graficado, con la tasa de descuento en el eje de las abscisas (eje X), y los valores de IR en el eje de las ordenadas (eje Y). Como se puede ver, a mayor tasa el IR tiende a disminuir, hasta llegar al punto en que la tasa de descuento es igual a la TIR, con lo que el IR es igual a uno. A partir de esta tasa TIR, para tasas mayores el IR es menor a uno, y tiende a cero.

### *Punto de indiferencia entre dos proyectos*

Como se puede ver en la gráfica del cuadro 16, hay una tasa de descuento en la que el valor presente neto del proyecto A es igual al valor presente neto del proyecto B. Esa tasa de indiferencia es importante, ya que nos da un esquema amplio de análisis sobre los proyectos para distintas tasas de descuento.

Con una tasa de descuento inferior a este punto de indiferencia sería mejor tomar el proyecto B. Para una tasa superior a este punto de indiferencia, pero menor a TIR, sería mejor tomar el proyecto A.

Pero, ¿cómo determinar la tasa de descuento para este punto de indiferencia? Si se parte del principio de que en ese punto el VPN del proyecto A y el VPN del proyecto B son iguales (cuadro 17), entonces se llegará a una nueva función de VPN, conocida como el VPN incremental. Esta función de VPN incremental es igual a la resta algebraica de los flujos de efectivo entre dos proyectos, en este caso entre A y B.

Para determinar la tasa en que los proyectos A y B son indiferentes simplemente se debe obtener la TIR de la nueva función de VPN incremental. De esta forma, el punto de indiferencia entre el proyecto A y el proyecto B, la tasa de descuento donde los VPN de ambos proyectos son iguales, sería la TIR del nuevo proyecto A-B, que es en este caso de 7.17%. A esta TIR se le conoce como TIR incremental o $TIR_{A\text{-}B}$.

*De esta forma se puede determinar un esquema de decisión más amplio, incluyendo todos los posibles valores de tasa de descuento.* En este caso, para una tasa de descuento entre cero y 7.17% se recomendaría

CUADRO 17

**PUNTO DE INDIFERENCIA ENTRE DOS PROYECTOS**

$$VPN_A = \frac{S_{A0}}{(1+i)^0} + \frac{S_{A1}}{(1+i)^1} + \frac{S_{A2}}{(1+i)^2} + \ldots$$

$$VPN_B = \frac{S_{B0}}{(1+i)^0} + \frac{S_{B1}}{(1+i)^1} + \frac{S_{B2}}{(1+i)^2} + \ldots$$

**en el punto de indiferencia: $VPN_A = VPN_B$**

por lo tanto:

$$\frac{S_{A0}}{(1+i)^0} + \frac{S_{A1}}{(1+i)^1} + \frac{S_{A2}}{(1+i)^2} = \frac{S_{B0}}{(1+i)^0} + \frac{S_{B1}}{(1+i)^1} + \frac{S_{B2}}{(1+i)}$$

$$\frac{S_{A0}}{(1+i)^0} - \frac{S_{B0}}{(1+i)^0} + \frac{S_{A1}}{(1+i)^1} - \frac{S_{B1}}{(1+i)^1} + \frac{S_{A2}}{(1+i)^2} - \frac{S_{B2}}{(1+i)^2} = 0$$

$$\frac{S_{A0} - S_{B0}}{(1+i)^0} + \frac{S_{A1} - S_{B1}}{(1+i)^1} + \frac{S_{A2} - S_{B2}}{(1+i)^2} = 0$$

**$i = TIR_{A\text{-}B} = TIR_{incremental}$ = TIR de flujos incrementales**

| | 0 | 1 | 2 | 3 | 4 |
|---|---|---|---|---|---|
| Proyecto A | -1,000 | 500 | 400 | 300 | 100 |
| Proyecto B | -1,000 | 100 | 300 | 400 | 600 |
| Proyecto A-B | 0 | 400 | 100 | -100 | -500 |

**$i = TIR_{A\text{-}B} = TIR_{incremental} = 7.17\%$**

tomar el proyecto B, ya que tiene un VPN mayor. Para una tasa de descuento entre 7.17% y 14.49% (la TIR de A) se recomendaría tomar el proyecto A, ya que tiene un VPN mayor. A partir de una tasa de 14.49% no se recomienda ningún proyecto, ya que ambos tienen VPN negativo.

Así, y de forma final, se puede contar con un cuadro de resultados finales (cuadro 18) para el proyecto A y el proyecto B

CUADRO 18

**RESULTADOS DE LA EVALUACIÓN DE LOS PROYECTOS "A" Y "B"**

**FLUJOS DE EFECTIVO EN PESOS CONSTANTES**

| Periodo | Proyecto A | Proyecto B | A-B |
|---|---|---|---|
| 0 | -1,000 | -1,000 | 0 |
| 1 | 500 | 100 | 400 |
| 2 | 400 | 300 | 100 |
| 3 | 300 | 400 | -100 |
| 4 | 100 | 600 | -500 |

| | | |
|---|---|---|
| PR | 2.33 | 3.33 |
| PRD(10%) | 2.95 | 3.88 |

| | | |
|---|---|---|
| VPN(10%) | $78.82 | $49.18 |
| VPN(5%) | $180.42 | $206.50 |
| VPN(0%) | $300.00 | $400.00 |

| | | | |
|---|---|---|---|
| TIR | 14.49% | 11.79% | 7.17% |

| | | |
|---|---|---|
| IR(10%) | 1.0788 | 1.0492 |

### *Parámetros de referencia básicos*

*Para conceptualizar un proyecto de inversión sobre una gráfica que relacione tasa de descuento (i) y valor presente neto (VPN) es conveniente contar con algunos parámetros de referencia básicos. Es más, al evaluar un proyecto de inversión es bueno que el ejecutivo tenga en mente estos parámetros de referencia básicos para contar con un esquema de decisión más amplio.*

Los cuatro parámetros de referencia básicos son los siguientes (véase cuadro 19):

*a*) El valor presente neto calculado con una tasa de descuento del cero por ciento. El VPN con esta tasa no es más que la suma algebraica de todos los flujos de efectivo del proyecto. Dado que

CUADRO 19

**PARÁMETROS DE REFERENCIA BÁSICOS EN LA EVALUACIÓN DE PROYECTOS**

| | |
|---|---|
| 1. VPN ( i = 0%) | • VPN máximo posible (*)<br>• Punto de cruce con eje "Y" |
| 2. VPN ( i = ∞%) | • VPN mínimo posible (*)<br>• Asíntota del VPN |
| 3. TIR del proyecto | • Tasa máxima posible para el proyecto (*)<br>• Punto de cruce con eje "X" |
| 4. TIR incremental ($TIR_{A-B}$) | • Punto de indiferencia entre dos proyectos. |

(*) Aplica en proyectos normales. Proyecto normal es aquel que presenta una inversión inicial y sólo beneficios netos en los flujos futuros.

la tasa de descuento es cero, entonces los flujos futuros no pierden valor en el tiempo, por lo que la simple suma algebraica es igual al VPN del proyecto. Este parámetro de referencia básico es igual al valor presente neto máximo posible (en el caso de proyectos normales), y representa el punto de cruce con el eje de las ordenadas (eje Y).

*b*) El valor presente neto calculado con una tasa de descuento del infinito por ciento. El VPN con esta tasa no es más que el valor de la inversión inicial. Dado que la tasa de descuento es infinito, entonces los flujos futuros se vuelven cero al dividirlos entre la tasa de descuento que es infinito. Este parámetro de referencia nos muestra el valor mínimo posible para el valor presente neto (en el caso de proyectos normales), y representa la asíntota a la que tiende el VPN con tasas muy grandes.

*c*) La tasa interna de retorno del proyecto. La TIR es la tasa de descuento máxima posible que puede aceptar el proyecto (una vez más, en el caso de proyectos normales), y es el punto de cruce con el eje de las abscisas (eje X).

*d*) La tasa interna de retorno incremental o $\text{TIR}_{\text{A-B}}$. Ésta es la tasa de descuento que determina el punto de indiferencia entre dos proyectos.

De esta forma, en el cuadro 20 se pueden ver los parámetros de referencia básicos para los proyectos A y B.

*Con estos parámetros de referencia básicos es muy fácil hacer un esquema del comportamiento de los proyectos para diferentes tasas, pudiendo definir fácil y rápidamente los rangos donde debiera tomarse cada proyecto, sus valores presentes netos máximos posibles con tasas de descuento muy pequeñas, y la tendencia de los valores presentes netos con tasas de descuento muy grandes.*

### *Cuándo y cómo utilizar cada técnica*

*¿Qué técnica debo utilizar? ¿Cuándo uso una y cuándo otra? ¿Cómo debo combinar la información de distintas técnicas para tomar una decisión?*

CUADRO 20

**PARÁMETROS DE REFERENCIA BÁSICOS EN LA EVALUACIÓN DE LOS PROYECTOS "A" Y "B"**

| Parámetros de referencia básicos | Proyecto A | Proyecto B | A D |
|---|---|---|---|
| 1. VPN ( i = 0%) | $300 | $400 | |
| 2. VPN ( i =  %) | ($1,000) | ($1,000) | |
| 3. TIR del proyecto | 14.49% | 11.78% | |
| 4. TIR incremental ($TIR_{A-B}$) | | | 7.17% |

Veamos los resultados de cuatro proyectos presentados en el cuadro 21. En este cuadro se tienen la evaluaciones de los proyectos C, D, E y F. Cada uno de estos proyectos tiene una inversión inicial, distinta por cierto entre todos ellos, y presentan posteriormente beneficios durante los siguientes dos periodos.

Si se evaluara cada proyecto por separado, cualquier técnica que considere el valor del dinero en el tiempo se podría usar simplemente para determinar si debe o no tomarse un proyecto. Por ejemplo, tanto para los proyectos C, D y F (no el E), todas y cada una de sus técnicas muestra que los proyectos son recomendables. El PRD en cada uno de estos tres proyectos es menor a dos, que es el número de periodos de vida de cada proyecto, lo que muestra que la inversión inicial y el costo de las fuentes de financiamiento se recuperará antes de que termine el tiempo de vida de cada proyecto.

El VPN en cada uno de estos tres proyectos (C, D y F) es mayor a cero, lo que quiere decir que se tiene un beneficio en exceso después de pagar

CUADRO 21

## QUÉ TÉCNICA SE DEBE UTILIZAR

| Periodo | Proyecto C | Proyecto D | Proyecto E | Proyecto F |
|---|---|---|---|---|
| 0 | -30 | -40 | -25 | -10 |
| 1 | 25 | 25 | 15 | 8 |
| 2 | 25 | 36 | 15 | 11 |
| PR | 1.20 | 1.42 | 1.67 | 1.18 |
| PRD(20%) | 1.53 | 1.77 | N/R | 1.44 |
| VPN(20%) | $8.19 | $5.83 | ($2.08) | $4.30 |
| IR(20%) | 1.27 | 1.15 | 0.92 | 1.43 |
| TIR | 42% | 31% | 13% | 52% |

N/R: No recuperable.

la inversión inicial y el costo de las fuentes de financiamiento. El IR en cada uno de estos tres proyectos es mayor a uno, lo que quiere decir que se tiene un rendimiento positivo por peso invertido. Por último, la TIR en cada uno de estos tres proyectos es superior a la tasa de descuento, en este caso 20%, lo que indica que hasta esa tasa de descuento cada proyecto seguiría teniendo un VPN superior a cero.

Como se puede ver, entre ninguna de las técnicas de evaluación que consideran el valor del dinero en el tiempo (PRD, VPN, IR y TIR) hay contradicción. Todas muestran que cada proyecto, en forma individual, es recomendable para la corporación.

Asimismo, en el caso del proyecto E, todas las técnicas de evaluación que consideran el valor del dinero en el tiempo muestran que el proyecto no es recomendable para la corporación. En cuanto al PRD, no se puede recuperar el proyecto en los dos periodos de vida del proyecto. El VPN es negativo, el IR es menor a uno, y la TIR es menor a la tasa de descuento.

De esta forma, si se trata de proyectos individuales, cada técnica por separado podría prácticamente indicar si debe o no tomarse el proyecto. Pero, ¿qué pasa cuando se trata de proyectos excluyentes entre sí?

Veamos varias posibles situaciones:

*a*) ¿Cuál proyecto debiera tomarse si se tratara de proyectos excluyentes entre sí (C o D o E o F), y si sólo se puede invertir una sola vez en cada uno? Por ejemplo, supongamos que se trata de cuatro posibles negocios por llevar a cabo pero que sólo se puede atender uno de ellos, o que se trata de instalar una línea de producción en la planta pero sólo se tiene espacio para una de ellas. En este caso debiera tomarse el proyecto C, ya que tiene el VPN más grande de todos, con lo que se maximizaría el valor de la corporación.

*b*) ¿Cuál proyecto debiera tomarse si se tratara de proyectos excluyentes entre sí (C o D o E o F), pero se puede invertir varias veces en uno de ellos? Por ejemplo, supongamos que se trata de desarrollar el mercado de uno de estos productos, o líneas de producción, pero que se pueden multiplicar tantas veces como se quiera. En este caso debiera tomarse el proyecto F, ya que tiene el IR más grande de todos, con lo que se maximizaría el valor de la corporación. Es decir, es mejor llevar a cabo tres veces el proyecto F que sólo requiere una inversión inicial de $10 en vez de llevar a cabo una sola vez el proyecto C, que requiere de una inversión inicial de $30. Tres veces el VPN del proyecto F es mayor que una vez el VPN del proyecto C, en la misma proporción que el IR de F es mayor al IR de C. (En este caso se supone que la multiplicación de uno de estos proyectos no implica un reducción en el IR).

*c*) ¿Cuál proyecto debiera tomarse si se tratara de proyectos no-excluyentes entre sí (C y/o D y/o E y/o F), pero sólo se puede invertir una vez en cada uno? Por ejemplo, supongamos que se trata de cuatro posibles proyectos de ampliación en un centro comercial;

se pueden hacer todos, algunos o ninguno, pero sólo una vez cada uno. En este caso debieran tomarse los proyectos C, D y F, ya que todos ellos tienen un VPN mayor a cero, con lo que con los tres se maximizaría el valor de la corporación. El proyecto E no se tomaría ya que tiene un VPN negativo, lo que decrementaría el valor de la corporación.

Con este primer análisis *se puede apreciar que lo relevante en cualquier decisión es maximizar el valor de la corporación.* Por esto siempre la decisión se basó en el máximo VPN o el máximo IR (finalmente una medición basada en VPN).

Pero, ¿entonces para que sirven las otras técnicas? Cuando se comienza a tomar en cuenta el riesgo, las otras técnicas cobran importancia. Volvamos al primer caso, ¿cuál proyecto debiera tomarse si se tratara de proyectos excluyentes entre sí (C o D o E o F), y si sólo se puede invertir una vez en cada uno? Es claro que el VPN de C es el mayor. Sin embargo, el F tiene menor VPN, pero por contra representa menor riesgo que el C.

Si se observa el PRD, el proyecto C requiere de 1.53 periodos, cuando el proyecto F requiere de sólo 1.44 periodos para ser recuperado. Es decir, el proyecto F implica menor riesgo en tiempo. Si el caso fuera un inversionista adverso al riesgo, se le puede ofrecer el proyecto F, pero señalando que esa reducción en el riesgo tiempo implica un VPN menor en $3.89 ($8.19 menos $4.30). En otras palabras, la reducción de riesgo en tiempo cuesta $3.89 a valor presente.

Si se observa la TIR, el proyecto C puede soportar hasta una tasa de descuento del 42%, cuando el proyecto F puede soportar hasta una tasa de descuento del 52%. Es decir, también el proyecto F implica menor riesgo, ahora en tasa. Si el caso fuera un inversionista adverso al riesgo, se le puede ofrecer el proyecto F, pero señalando que la ampliación en la TIR, en la tasa que puede soportar el proyecto, implica un VPN menor en $3.89 ($8.19 menos $4.30). En otras palabras, la reducción de riesgo en tasa cuesta $3.89 a valor presente.

¿Cuándo debiera preferirse el proyecto D en lugar del proyecto C? Un inversionista racional nunca lo aceptaría. El proyecto D implica un VPN menor al del proyecto C, pero no ofrece mejor PRD ni TIR. ¿Por qué tomar menor beneficio con mayor riesgo?

## *Con qué método tomar decisiones*

Finalmente se puede concluir sobre qué técnica tomar para cada punto de la toma de decisiones sobre un proyecto. En el cuadro 22 se tiene el resumen.

CUADRO 22

**CON QUÉ MÉTODO TOMAR DECISIONES**

**I. SUPONIENDO CERTIDUMBRE TOTAL:**

| | Proyectos excluyentes (A o B o C... etc.) | Proyectos no-excluyente (A y/o B y/o C... etc.) |
|---|---|---|
| Sólo se puede invertir una vez en cada proyecto | Proyecto con máximo VPN | Proyectos con VPN > 0 |
| Se puede invertir varias veces en un proyecto | Proyecto con máximo IR | Proyecto con máximo IR |

**II. CUÁNDO NO HAY CERTIDUMBRE TOTAL APOYARSE EN:**

| | |
|---|---|
| TIR | Medición de riesgo en tasa |
| PRD | Medición de riesgo en plazo |
| Modelo probabilístico | Medición de riesgo en flujos (Valor esperado y desviación estándar) |

Primero se hace el supuesto de que hubiese certidumbre total. En este caso (cuadro 22):

*a*) Si se trata de proyectos excluyentes entre sí, y sólo se puede invertir una vez en cada proyecto, el criterio debe ser tomar el proyecto con el máximo VPN.
*b*) Si se trata de proyectos excluyentes entre sí, pero se puede invertir varias veces en un proyecto, el criterio debe ser tomar el proyecto con el máximo IR.
*c*) Si se trata de proyectos no-excluyentes entre sí, y sólo se puede invertir una vez en cada proyecto, el criterio debe ser tomar todos los proyectos con un VPN mayor a cero.
*d*) Si se trata de proyectos no-excluyentes entre sí, pero se puede invertir varias veces en un proyecto, el criterio debe ser tomar el proyecto con el máximo IR.

¿Pero qué pasa cuando no hay certidumbre total, que además es la situación real? En este caso debe apoyarse la decisión de la siguiente forma (cuadro 22):

*a*) Para evaluar el riesgo en tasa, considerar la TIR.
*b*) Para evaluar el riesgo en plazo o tiempo, considerar el PRD.
*c*) Para evaluar el riesgo en los flujos, la posibilidad de que no se den los flujos estimados, lo conveniente sería desarrollar un modelo probabilístico (lo cual no se analizará en este libro).

## *Resumen de métodos de evaluación de proyectos*

Para terminar, en el cuadro 23 se presenta un resumen total de los puntos más relevantes de cada método. También se presentan los rangos de aceptación para cada método.

CUADRO 23

## RESUMEN DE MÉTODOS DE EVALUACIÓN DE PROYECTOS

### PUNTOS RELEVANTES DE CADA MÉTODO

| Método | Característica principal | Unidad de medida | Parámetro de aceptación |
|---|---|---|---|
| PRD | Riesgo en tiempo | periodos | < N |
| VPN | Valor del proyecto | $ | > 0 |
| IR | Rentabilidad | índice | > 1 |
| TIR | Riesgo en tasa | % | > i |

### RANGOS DE ACEPTACIÓN PARA CADA MÉTODO

| Método | Aceptar | Punto crítico | No aceptar |
|---|---|---|---|
| PRD | < N | = N | > N |
| VPN | > 0 | = 0 | < 0 |
| IR | > 1 | = 1 | < 1 |
| TIR | > i | = i | < i |

N: Tiempo de vida del proyecto.
i: Tasa de descuento.

ANEXO I

## FORMULARIO

a. $$VPN = \sum_{t=0}^{n} \frac{St}{(1+i)^t}$$

b. $$VPN = \sum_{t=0}^{n} \frac{St}{(1+i^*)^t} = 0$$

siendo i* = TIR

c. $$IR = \frac{\text{VP flujos futuros}}{|\text{Inversión inicial}|} = \frac{\text{VPN}}{|\text{Inversión inicial}|} + 1$$

d. $$\text{Anualidad} = \frac{\text{Valor presente} * ((1+i)^t * i)}{((1+i)^t - 1)}$$

e. $$\text{Valor presente} = \frac{\text{Anualidad} * ((1+i)^t - 1)}{((1+i)^t * i)}$$

# ANEXO II

## RESUMEN DE TÉCNICAS EN LA EVALUACIÓN DE PROYECTOS

| Técnicas | Periodo de Recuperación | Periodo de Recuperación Descontado | Valor Presente Neto | Tasa Interna de Retorno | Indice de Rentabilidad |
|---|---|---|---|---|---|
| Siglas | PR | PRD | VPN ó VAN | TIR | IR |
| Definición | Es el tiempo de recuperación de la inversión inicial | Es el tiempo de recuperación de la inversión inicial considerando el valor del dinero a través del tiempo | Es la sumatoria de los beneficios futuros esperados, descontados a cierta tasa menos el valor de la inversión inicial | Es la tasa de descuento que iguala el valor presente de los beneficios futuros esperados con el desembolso para la inversión inicial | Es la razon del valor presente de los flujos futuros esperados sobre la inversión inicial |
| Uso | Sirve para determinar el número de periodos necesarios para recuperar la inversión inicial | Sirve para determinar el número de periodos necesarios para recuperar la inversión inicial, considerando el valor del dinero a través del tiempo, es decir, el pago de los intereses | Sirve para calcular el beneficio del proyecto a valor presente, en exceso para la corporación, una vez descontado el costo de las fuentes de financiamiento y el pago de la inversión inicial | Sirve para determinar la tasa de descuento máxima que puede exigírsele al proyecto | Sirve para calcular el beneficio marginal descontado por peso invertido, o como medida de rentabilidad a valor presente del proyecto |
| Ventajas | Simplísimo de entender y explicar<br><br>Medida de riesgo sobre el tiempo | Considera el valor del dinero a través del tiempo<br><br>Simple de entender y explicar<br><br>Medida de riesgo sobre el tiempo | Considera todos los flujos del proyecto<br><br>Considera el valor del dinero a través del tiempo<br><br>Maximiza el valor de la empresa<br><br>El VPN de varios proyectos es acumulable | Considera todos los flujos del proyecto<br><br>Considera el valor del dinero a través del tiempo<br><br>Medida de riesgo en tasa | Medida de beneficio marginal<br><br>Medida de rentabilidad a valor presente<br><br>Considera todos los flujos del proyecto<br><br>Considera el valor del dinero a través del tiempo<br><br>Permite comparar proyectos de diferentes tamaños |
| Desventajas | No considera el valor del dinero a través del tiempo<br><br>Visión limitada, no considera los flujos posteriores al periodo de recuperación<br><br>No necesariamente maximiza el valor de la empresa | Hay que estimar una tasa de descuento<br><br>Visión limitada, no considera los flujos posteriores al periodo de recuperación<br><br>No necesariamente maximiza el valor de la empresa | Hay que estimar una tasa de descuento<br><br>Complicado | Complicadisimo<br><br>No necesariamente maximiza el valor de la empresa | Complicado<br><br>No necesariamente maximiza el valor de la empresa |

Cuadro elaborado por Alberto Calva Mercado.

# ANEXO III

## USO DE LA CALCULADORA HP-17BII Y HP-19BII
## VALOR DEL DINERO EN EL TIEMPO

**ESPECIFICACIONES INICIALES**

1) Regresar al menú principal: <Amarillo> <MAIN>

2) Definir qué método de cálculo se quiere: <Amarillo> <MODES>

a) Oprimir <ALG> si se desea método algebraico
(Ej: <4> <*> <2> <=> 8)

b) Oprimir <PRN> si se desea método polaco
(Ej: <4> <ENTER> <2> <*> 8)

3) Definir el idioma que se desea para la calculadora: <Amarillo> <MODES> <INTL>

a) Oprimir <ESPÑ> para español

4) Definir uso de punto para los decimales y coma para los miles: <DISP> <.>

5) Fijar punto decimal: <DISP> <FIJAR> <4> <INPUT>

6) Definir periodos por año (para manejo de la tasa en las anualidades):
<FIN> <VDT> <OTRO> <1> <P AÑ>

7) Definir flujo en modo final: <FIN> <VDT> <OTRO> <FIN>

# ANEXO III

## USO DE LA CALCULADORA HP-17BII y HP-19BII
## VALOR DEL DINERO EN EL TIEMPO

### CON FLUJOS IGUALES

1) Colocarse en el menú principal (oprimir <Amarillo> <MAIN>)

2) Entrar al menú <FIN>

3) Si se trata de flujos iguales entrar al menú <VDT>

4) Limpiar todas las memorias de la calculadora con <Amarillo> <CLEAR DATA>

5) Teclear los datos que se tengan:

| | |
|---|---|
| Número de periodos | <N> |
| Tasa | <% IA> |
| Valor presente | <V.A.> |
| Flujos | <PAGO> |
| Valor futuro | <V.F.> |

En cualquier caso es necesario introducir al menos tres datos (máximo cuatro) para obtener un resultado a partir de ellos.

6) Oprimir directamente (sin teclear ningún dato) la tecla del resultado que se desea:

| | |
|---|---|
| <N> | para número de periodos |
| <% VA> | para TIR |
| <V.A.> | para valor presente |
| <PAGO> | para anualidad |
| <V.F.> | para valor futuro |

7) Si se desea repetir la operación para nuevos datos es recomendable limpiar antes las memorias de la calculadora con <Amarillo> <CLEAR DATA>

8) Para salir de este menú oprimir <EXIT>

# ANEXO III

## USO DE LA CALCULADORA HP-17BII y HP-19BII
## VALOR DEL DINERO EN EL TIEMPO

### CON FLUJOS DISTINTOS

1) Colocarse en el menú principal (oprimir <Amarillo> <MAIN>)

2) Entrar al menú <FIN>

3) Si se trata de flujos distintos entrar al menú <F.CAJ>

4) Limpiar todas las memorias de la calculadora con <Amarillo> <CLEAR DATA>: Se pregunta "¿BORRO LA LISTA?": indicar <SI>

5) En pantalla se pregunta:

a) F.CAJA (0) = ? Teclear flujo inicial e <INPUT>

b) F.CAJA (1) = ? Teclear flujo periodo 1 e <INPUT>
NO. DE VECES (1) = 1 Oprimir <INPUT> o teclear el número de veces e <INPUT>

c) F.CAJA (2) = ? Teclear flujo periodo 2 e <INPUT>
NO. DE VECES (2) = 1 Oprimir <INPUT> o teclear el número de veces e <INPUT>

d) Repetir tantas veces como flujos distintos se tengan

6) Al finalizar de teclear los flujos oprimir <EXIT>. (Paso no necesario en la HP-19BII)

7) Oprimir en el menú la tecla de <CALC>

8) Dentro del menú <CALC> teclear las tasa de descuento y oprimir <I%>

9) Para obtener resultados oprimir las teclas correspondientes:

| | |
|---|---|
| <TOTAL> | para suma algebraica de todos los flujos (sin descontar) |
| <%TIR> | para obtener TIR |
| <VAN> | para obtener valor presente neto |
| <SNU> | para obtener anualidad equivalente |
| <VFN> | para obtener valor futuro neto |

10) Si se desea repetir la operación para nuevos datos oprimir <EXIT>, limpiar las memorias de la calculadora con <Amarillo> <CLEAR DATA> y repetir el proceso

11) Para salir de este menú oprimir <EXIT>

# ANEXO IV

## USO DE LA CALCULADORA HP-12C
## VALOR DEL DINERO EN EL TIEMPO

**ESPECIFICACIONES INICIALES**

1) Definir uso de punto para los decimales y coma para los miles: Oprimir la tecla del punto decimal <.> y, manteniendo ésta oprimida, proceder a prender la calculadora <ON>

2) Fijar punto decimal: <Amarillo(f)> <4>

3) Definir flujo en modo final: <Azul(g)> <END> (tecla abajo del <8>)


# ANEXO IV

## USO DE LA CALCULADORA HP-12C
## VALOR DEL DINERO EN EL TIEMPO


**CON FLUJOS IGUALES**

1) Limpiar todas las memorias de la calculadora con <Amarillo> <FIN>

2) Teclear los datos que se tengan:

| | |
|---|---|
| Número de periodos | <n> |
| Tasa | <i> |
| Valor presente | <PV> |
| Flujos | <PMT> |
| Valor futuro | <FV> |

En cualquier caso es necesario introducir al menos tres datos (máximo cuatro) para obtener un resultado a partir de ellos.

3) Oprimir directamente (sin teclear ningún dato) la tecla del resultado que se desea:

| | |
|---|---|
| <n> | para número de periodos |
| <i> | para TIR |
| <PV> | para valor presente |
| <PMT> | para anualidad |
| <FV> | para valor futuro |

4) Si se desea repetir la operación para nuevos datos es recomendable limpiar antes las memorias de la calculadora con <Amarillo> <FIN>

# ANEXO IV

## USO DE LA CALCULADORA HP-12C
## VALOR DEL DINERO EN EL TIEMPO

### CON FLUJOS DISTINTOS

1) Limpiar todas las memorias de la calculadora con <Amarillo> <FIN>

2) Teclear el flujo inicial, cambiando a signo negativo <CHS> si corresponde, e introducir en <Azul(g)> <CFo>

3) Teclear el primer flujo e introducir con <Azul(g)> <CFj>. Si este flujo sólo es válido para un periodo, no hacer nada. Si este flujo se repite para varios periodos, teclear el número de éstos e introducir en <Azul(g)> <Nj>

4) Repetir el paso (3) tantas veces como flujos distintos se tengan

5) Introducir la tasa de descuento en <i>

6) Para obtener valor presente neto oprimir <Amarillo(f)> <NPV>. Para obtener la tasa interna de retorno oprimir <Amarillo(f)> <IRR>

Nota: Después de obtener la tasa interna de retorno, si se desea volver a calcular el valor presente neto, es necesario recapturar la tasa y oprimir <i>

7) Si se desea repetir la operación para nuevos datos es recomendable limpiar antes las memorias de la calculadora con <Amarillo> <FIN>

# ANEXO V

## USO DE LAS FUNCIONES DE VPN Y TIR EN EXCEL

### Función de VPN:

Lo que realmente calcula la instrucción de VPN en Excel es el valor presente de los flujos futuros. La sintaxis y su uso es como sigue:

+VNA(tasa de descuento, rango del flujo 1 al flujo n)

Por lo tanto, para obtener el VPN debe sumarse a la función anterior la inversión inicial.

Ejemplo:

$+VNA(0.1,S_1..S_n)+S_0$

### Función de TIR:

La instrucción de TIR en Excel tiene la siguiente sintaxis y su uso es como sigue:

+TIR(rango del flujo 0 al flujo n, número estimado)

El rango debe incluir al menos un valor positivo y uno negativo. El número estimado debe ser un valor aproximado al resultado esperado de TIR. Con este número estimado es con el que se inicia la iteración para encontrar TIR. Si la computadora no encuentra la TIR después de cierto número de iteraciones entonces indicará error (#¡NUM!), siendo conveniente intentar con otro número estimado.

Ejemplo:

$+TIR(S_0..S_n,0.2)$

# ANEXO VI

## USO DE LAS FUNCIONES DE VPN Y TIR EN LOTUS

### Función de VPN:

Lo que realmente calcula la instrucción de VPN en Lotus es el valor presente de los flujos futuros. La sintaxis y su uso es como sigue:

@VAN(tasa de descuento, rango del flujo 1 al flujo n)

Por lo tanto, para obtener el VPN debe sumarse a la función anterior la inversión inicial.

Ejemplo:

@VAN(0.1,$S_1$..$S_n$)+$S_0$

### Función de TIR:

La instrucción de TIR en Lotus tiene la siguiente sintaxis y su uso es como sigue:

@TIR(número estimado, rango del flujo 0 al flujo n)

El rango debe incluir al menos un valor positivo y uno negativo. El número estimado debe ser un valor aproximado al resultado esperado de TIR. Con este número estimado es con el que se inicia la iteración para encontrar TIR. Si la computadora no encuentra la TIR después de cierto número de iteraciones entonces indicará error (ERR), siendo conveniente intentar con otro número estimado.

Ejemplo:

@TIR(0.2,$S_0$..$S_n$)

# 7. Costo de capital y estructura financiera

## *El costo de capital*

*Costo de capital es el promedio ponderado del costo de las fuentes de financiamiento de la empresa. El nombre completo del costo de capital es costo de capital promedio ponderado. También se le conoce por sus siglas en inglés: WACC (weighted average cost of capital).*

En otras palabras, lo que busca medir el costo de capital es cuánto le están costando los recursos del lado derecho del balance general a la corporación. Se refiere a la suma ponderada del costo de financiarse con el dinero de los proveedores, de otros acreedores, de los recursos bancarios y no-bancarios, de las aportaciones de los accionistas y de las utilidades retenidas.

*¿Cómo se obtiene el costo de capital en la empresa?* El costo de capital se obtiene a partir de una serie de datos base: el costo de cada una de las fuentes de financiamiento y la ponderación para cada una de ellas. Veamos como se obtendría el costo de capital suponiendo, por ahora, que se conocen estos datos (véase cuadro 1).

Por ejemplo, con los datos que se presentan en el cuadro 1, supongamos que cierta empresa tiene un financiamiento con pasivo de corto plazo de \$400, un financiamiento con pasivo de largo plazo de \$800 y uno con capital contable de \$800. Esto suma \$2,000, lo que implica que el activo total suma la misma cantidad. Por otro lado, supongamos que el costo (i) de cada una de estas fuentes de financiamiento es de 20% para el pasivo de corto plazo, de 30% para el pasivo de largo plazo y de 40% para el capital contable.

CUADRO 1

**DETERMINACIÓN DEL COSTO DE CAPITAL**
**EJEMPLO**

| Balance general: Activo | Balance general: Pasivo y capital | Costo (i) | Ponderación (w) | Costo ponderado (i * w) |
|---|---|---|---|---|
| Activo | Pasivo de corto plazo $400 | 20% | 20% | 0.04 |
| | Pasivo de largo plazo $800 | 30% | 40% | 0.12 |
| | Capital contable $800 | 40% | 40% | 0.16 |
| Activo total: $2,000 | Pasivo más capital: $2,000 | | 100% | 0.32 |
| | | | Costo de capital: | 32% |

Ahora se puede definir la ponderación (w) para cada fuente de financiamiento. La ponderación (w) correspondiente al pasivo de corto plazo es del 20%, que equivale a la división de los $400 que se tienen en el pasivo de corto plazo entre los $2,000 de financiamiento total. La ponderación para el pasivo de largo plazo es de 40%, que corresponde a los $800 que se tienen en el pasivo de largo plazo entre los $2,000 de financiamiento total. De la misma manera la ponderación del capital contable es del 40%. La suma de la ponderación da, y siempre debe dar, un total de 100%.

Así, el costo ponderado de cada fuente de financiamiento es la multiplicación del costo de cada fuente de financiamiento (i) por la ponderación correspondiente (w). Para el pasivo de corto plazo es de 0.04, que equivale a la multiplicación de 0.20 (20% de i) por 0.20 (20% de w). Para el pasivo de largo plazo el costo ponderado es de 0.12, que equivale a la multiplicación de 0.30 (30% de i) por 0.40 (40% de w). Por último, el costo ponderado del capital contable es de 0.16.

Finalmente, el costo de capital de la empresa se obtiene por la suma del costo ponderado de cada una de estas fuentes de financiamiento, siendo en este caso la suma de 0.04 más 0.12 más 0.16, que da un total de 0.32, o 32%. El costo de capital de esta empresa, el costo ponderado de sus fuentes de financiamiento, es del 32%.

*¿Qué dice esta cifra de costo de capital?* En este caso, el rendimiento mínimo que debe lograr la corporación de sus activos es del 32%. Si no se logra este rendimiento no se alcanzaría a pagar ni siquiera el costo de las fuentes de financiamiento, es decir, el activo no produciría más de lo que cuesta el pasivo y el capital, lo cual es una condición básica para que una empresa sea negocio.

*¿Qué pasaría si el rendimiento de los activos fuera distinto al del costo de capital?* En el cuadro 2 se muestra un ejemplo de lo que podrían ser tres posibles escenarios. El primer escenario parte de que se tienen $2,000 en activos, y que el rendimiento de éstos es del 32%, lo cual implicaría beneficios por $640 ($2,000 por 0.32). Asimismo, se señala que el costo de capital es del 32%.

¿Cómo se distribuiría el beneficio en este caso? Si se tienen $400 en pasivo de corto plazo, con un costo del 20%, entonces habría que pagar $80 por esta fuente de financiamiento ($400 por 0.20). También se tienen $800 en pasivo de largo plazo, con un costo del 30%, teniéndose por lo tanto que pagar $240 por esta fuente de financiamiento ($800 por 0.30). Por último, el capital contable asciende a $800, siendo el beneficio deseado por los accionistas, o el costo del capital contable, del 40%, por lo que habría que pagar a los accionistas la cantidad de $320 ($800 por 0.40).

CUADRO 2

**DISTRIBUCIÓN DEL BENEFICIO CON BASE EN EL COSTO DE CAPITAL**

| | Primer escenario | Segundo escenario | Tercer escenario |
|---|---|---|---|
| Costo de capital | 32% | 32% | 32% |
| Activo total | $2,000 | $2,000 | $2,000 |
| Rendimiento de los activos | 32% | 40% | 24% |
| Beneficio de los activos | $640 | $800 | $480 |
| **Distribución del beneficio:** | | | |
| Pasivo de corto plazo: $400 al 20% | $80 | $80 | $80 |
| Pasivo de largo plazo: $800 al 30% | $240 | $240 | $240 |
| Capital contable (beneficio mínimo deseado): $800 al 40% | $320 | $320 | $320 |
| Beneficio o pérdida extraordinaria | 0 | $160 | ($160) |
| Total | $640 | $800 | $480 |
| VPN | = 0 | > 0 | < 0 |
| TIR | 32% | 40% | 24% |

Finalmente, la suma del servicio de estas tres fuentes de financiamiento, $80 por el pasivo de corto plazo más $240 por el pasivo de largo plazo más $320 por el capital contable, equivale a $640 que es igual al rendimiento del activo. Es decir, con el rendimiento de los activos, que es igual, en este primer escenario, al costo de capital, no quedaría ningún excedente para la corporación. Simplemente, el rendimiento de los activos alcanzó exactamente para pagar fuentes de financiamiento. *¿Qué debería hacer la empresa en este caso? Sólo puede hacer dos cosas: buscar incrementar el rendimiento de sus activos y/o reducir el costo de capital.*

En el segundo escenario se supone un rendimiento de los activos del 40% , que equivale a un beneficio de $800, manteniéndose un costo de capital del 32%. Con este beneficio se pagaría el mismo costo por el pasivo de corto plazo, $80, por el pasivo de largo plazo, $240, y el beneficio mínimo deseado por los accionistas, $320. En total se pagarían los $640 que corresponden al 32% del costo de capital. Sin embargo, en este caso, dado que el rendimiento del activo es mayor al costo de capital, habría un beneficio extraordinario de $160 para la corporación. Esto implica, en otras palabras, un valor presente neto superior a cero.

En el tercer escenario se supone un rendimiento de los activos del 24% , que equivale a un beneficio de $480, manteniéndose un costo de capital del 32%. Con este beneficio se pagaría el mismo costo por el pasivo de corto plazo, $80, por el pasivo de largo plazo, $240, y el beneficio mínimo deseado por los accionistas, $320. En total se pagarían los $640 que corresponden al 32% del costo de capital. Sin embargo, en este caso, dado que el rendimiento del activo es menor al costo de capital, habría una pérdida extraordinaria de $160 para la corporación. Esto implica, en otras palabras, un valor presente neto negativo o inferior a cero.

*En otras palabras, si se logra un beneficio superior por parte de los activos con respecto al costo de capital, entonces se tendrá un valor presente neto superior a cero. Este beneficio extraordinario acabará eventualmente en el bolsillo del accionista. Si se tiene un beneficio inferior por parte de los activos con respecto al costo de capital, entonces se tendrá un valor presente neto inferior a cero. Esta pérdida extraordinaria afectará el patrimonio de los accionistas.*

Como se puede ver, *el costo de capital es la base para la determinación del costo de oportunidad mínimo para la corporación. A su vez, el costo de oportunidad es la base para la determinación de la tasa de descuento o del valor del dinero en el tiempo para la corporación. La tasa de descuento es fundamental para llevar a cabo cualquier tipo de evaluación de inversión en la empresa.*

*¿Cuáles son los principales problemas para el cálculo del costo de capital en la empresa real?* Si bien el concepto de costo de capital es claro, su estimación en la realidad no es tan sencillo. ¿Por qué? Básicamente por dos razones. Por un lado, definir el costo de cada fuente de financiamiento no es tan sencillo dado que no todas las fuentes de financiamiento tienen un costo cuantificable. Por ejemplo, no pagar a proveedores tiene como costo un servicio menor por parte de éstos, el cual aunque es claro que existe no es fácil de estimar. De la misma manera, determinar el costo del capital contable puede no ser tan fácil, ya que depende no sólo del tipo de industria que se está analizando, sino también del tipo de alternativas reales que tienen los accionistas para su inversión.

Por otro lado, la ponderación de cada fuente no es constante en el tiempo. De esta forma, la ponderación que debe darse a cada fuente de financiamiento puede basarse en tres datos: la estructura histórica de las fuentes de financiamiento para la empresa, la estructura ideal o la estructura esperada para la corporación.

### *Determinación del costo de fuentes de financiamiento*

Algunas consideraciones generales cuando se lleve a cabo el cálculo del costo de cada fuente de financiamiento, previo a obtener el costo de capital, son las siguientes:

*a) Proveedores:* La compra a crédito a los proveedores, el no pagar de contado, tiene un costo. De antemano, no pagar implica perder descuentos. Aunque aparentemente uno no gana nada por pagar antes a los proveedores, lo cierto es que cualquier proveedor racional daría un descuento a su cliente por un pago antes del tiempo previsto. Simplemente, ¿cuánto estaría dispuesto a descontar en el precio de venta a un cliente que decide pagar por anticipado la compra de los próximos seis meses? ¿Cuánto si ofrece pagar al momento de la recepción de la mercancía? ¿Cuánto si paga en 15 días, en 30 días, en 60 días o en más?

Estimar estos descuentos y determinar su costo sobre una tasa anual es necesario para definir el costo sobre esta fuente de financiamiento. Por ejemplo, ¿qué pasa si un proveedor está dispuesto a dar 5% de descuento si se paga de contado en lugar de hacerlo a 30 días? En este caso el costo de financiar a la empresa con el crédito del proveedor equivale a 5.26% en 30 días ($5 de pago adicional entre $95 de alternativa de pago de contado o monto del financiamiento). Esto puede no parecer mucho a primera vista, pero ¿cómo se verá si lo llevamos a una base anual? En forma anualizada este costo equivale a 63.16% (5.26% por 12), o bien, la tasa efectiva o costo compuesto es de 85.06% anual (uno más 0.526 elevado a la potencia 12 menos uno: $(1+0.526)^{12}-1$).

*b) Otros acreedores de corto plazo:* En cada caso, impuestos por pagar, gastos acumulados, acreedores diversos, etcétera; habría que preguntarse cuánto es lo que estarían dispuestos a descontar si se les pagara antes del tiempo pactado. Todo el mundo tiene un costo de oportunidad, y toda operación a crédito tiene un riesgo, por lo que cualquiera estaría dispuesto a un descuento con tal de cobrar antes de tiempo.

*c) Créditos bancarios:* Aparentemente el costo del crédito bancario está perfectamente bien definido por la tasa de interés que se pactó con la empresa. Sin embargo, ¿se están tomando en cuenta las comisiones?, ¿se están tomando en cuenta otros cargos realizados con referencia al crédito?, ¿se están tomando en cuentas aspectos como la reciprocidad que normalmente exigen los bancos?

Por ejemplo, ¿cuál sería el costo si un crédito a tres meses se pactó a una tasa anual del 60% y se pagó una comisión de apertura del crédito del 2%? Por un lado se tiene un pago de intereses del 15% al final del trimestre (60% entre 4). Por el otro, se hizo un pago de comisión de apertura del 2% al inicio del trimestre. Si se piden $100 prestados, al final del trimestre habría que pagar $115, que corresponden al capital y a los intereses. Por el otro lado, se pidieron $100 prestados, pero el banco realmente otorgó $98, ya que descontó el 2% de comisión. Esto quiere decir que con $98 habría que generar lo suficiente para poder pagar $115 al final del trimestre, o bien, con $98 hay que generar $17 de beneficio para pagar. ¿Cuál es el costo de esto?

$$\frac{100 + 15}{100-2} - 1 = \frac{115}{98} - 1 = 0.1735 = 17.35\% \text{ en el trimestre}$$

El costo real de este financiamiento con el banco es del 17.35% por trimestre, o 69.39% (17.35% por 4) anualizado (en vez de 60%), o 89.62% efectivo anual $((1+0.1735)^4-1)$.

*d) Créditos no-bancarios:* De forma similar a los créditos bancarios, habría que calcular el costo de fuentes de financiamiento no-bancarias, como puede ser alguna alternativa bursátil —papel comercial u obligaciones— o alguna otra, como financiamiento de casa matriz.

*e) Accionistas:* ¿Cuál es el rendimiento normal que debieran tener los accionistas? ¿Cuál es el rendimiento histórico dentro de la empresa? ¿Cuál es el rendimiento que han tenido accionistas de otros negocios similares o en el mismo sector industrial? ¿Qué otras alternativas reales tiene el accionista para su dinero?

El rendimiento de una inversión accionaria se determina por tres variables: el precio o valor inicial de la acción, el pago de dividendos, y el precio o valor final de la acción. Es decir, un inversionista compra una acción al principio de un periodo. Al final del mismo, su beneficio estará representado por el pago de dividendos y el valor final en el precio de la acción, que es el valor al que el accionista podría realizar su inversión.

$$\text{Rendimiento de la acción} = \frac{\text{Precio final de la acción + Dividendos}}{\text{Precio inicial de la acción}} - 1$$

De esta forma, la determinación del costo de cada fuente de financiamiento es importante para contar con una base lo más cercana posible a la realidad de la empresa para el cálculo de su costo de capital.

## *El costo de capital marginal*

El costo de capital mencionado hasta aquí se refiere al costo ponderado de todas las fuentes de financiamiento. Sin embargo, *podría hablarse del costo de capital marginal, que sería el costo de las fuentes de financiamiento adicionales que se van obteniendo para financiar los nuevos proyectos.*

Hay ciertos proyectos que pueden ser financiados por una fuente de financiamiento muy específica. En este caso, lo relevante en la evaluación de dicho proyecto sería el costo de esa fuente de financiamiento, es decir, el costo de capital marginal.

Por otro lado, se puede dar el caso lógico de que en un principio se obtengan las fuentes de financiamiento más baratas, y que cada vez que se soliciten recursos extras éstos sean más caros. En este caso se puede establecer una función del costo de capital marginal (cuadro 3), el cual tendrá una pendiente positiva, ya que a mayores recursos (eje de las abscisas o eje X) el costo de éstos será mayor (eje de las ordenadas o eje Y).

*¿Hasta dónde habría que seguir pidiendo recursos para financiar proyectos de inversión?* Si se ordenan los proyectos (cuadro 3) en función de su tasa interna de retorno (TIR) (véase el capítulo 6 para una definición de la TIR), aceptándose y llevándose a cabo primero aquellos que tienen la mayor TIR, entonces se vería una función con pendiente negativa. De esta forma, habría que llevar a cabo todos aquellos proyectos que tengan una TIR mayor al costo de capital marginal, es decir, un valor presente neto mayor a cero. Deberían rechazarse, por lo tanto, aquellos proyectos con un costo de capital marginal superior a la TIR de los proyectos marginales.

## *La estructura financiera*

*Se entiende por estructura financiera la mezcla de la distintas fuentes de financiamiento disponibles para la empresa: pasivo de corto plazo, pasivo de largo plazo y capital contable.*

Una empresa puede tener problemas de estructura financiera, sin estar muy apalancada o endeudada. Es decir, puede deber poco pero, digamos, deber a muy corto plazo la mayor parte de su deuda. En este caso no sería la solución al problema el liquidar deuda, sino reestructurar el plazo al que se tiene contratada ésta.

CUADRO 3

## COSTO DE CAPITAL MARGINAL Y TASA INTERNA DE RETORNO: LÍMITE EN EL MONTO DE INVERSIÓN

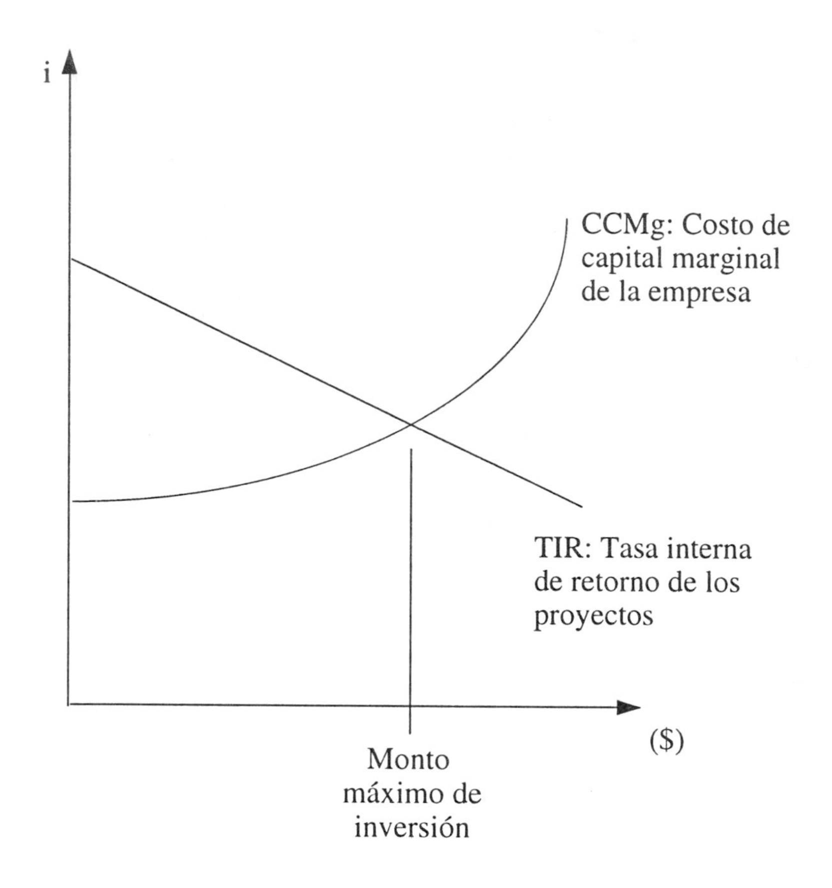


*¿Existe una estructura financiera óptima?* De esto se ha escrito mucho, pudiéndose citar los famosos estudios de Miller y Modigliani. Sin embargo, determinar una estructura financiera óptima en una empresa real sigue siendo un problema difícil de resolver.

Lo que sí es claro es que hay una cierta estructura financiera más adecuada para la empresa, o una estructura financiera más sana para el tipo de actividad de la empresa, o una estructura financiera que puede llevar a un costo de capital más bajo. Ésta es una tarea fundamental a la que se tiene que abocar cualquier ejecutivo financiero.

*¿Qué es una estructura financiera sana?* De antemano se podrían mencionar algunas reglas fundamentales:

*a*) El activo fijo debe ser financiado con fuentes de largo plazo (pasivo de largo plazo o capital contable).
*b*) El activo circulante constante, es decir, el activo circulante que se tiene en la empresa en todo momento a pesar de las fluctuaciones en el nivel de actividad de la misma, y que equivale al capital de trabajo neto (véase capítulo 5), también debe ser financiado con fuentes de largo plazo.
*c*) El activo circulante variable, es decir, el activo circulante que se tiene de forma temporal en la empresa, debe ser financiado con fuentes de corto plazo (pasivo de corto plazo).

Esto es lo que podría llamarse una situación ideal (cuadro 4).

Dentro de la situación ideal se pueden aún distinguir dos casos: la *situación ideal conservadora* es la empresa cuyas fuentes de financiamiento de largo plazo están compuestas básicamente de recursos propios, es decir, capital contable, y la *situación ideal agresiva* es la empresa cuyas fuentes de financiamiento de largo plazo están compuestas básicamente de recursos ajenos, es decir, pasivos de largo plazo. Es claro que aunque el capital contable como el pasivo de largo plazo son fuentes de largo plazo, el primero es aún más fijo en la corporación que el segundo.

Una *situación conservadora* (cuadro 4) es cuando se financia con fuentes de largo plazo no sólo el activo fijo y el activo circulante constante, sino también parte del activo circulante variable. Por contra, una *situación agresiva* es cuando se financia con fuentes de corto plazo no sólo el activo circulante variable, sino también el activo circulante constante e incluso hasta parte del activo fijo.

*El ejecutivo financiero debe cuidar que la estructura financiera responda a la naturaleza de su operación y que ayude a buscar el menor costo de capital posible.*

CUADRO 4

**ESQUEMAS DE FINANCIAMIENTO EN LA EMPRESA**

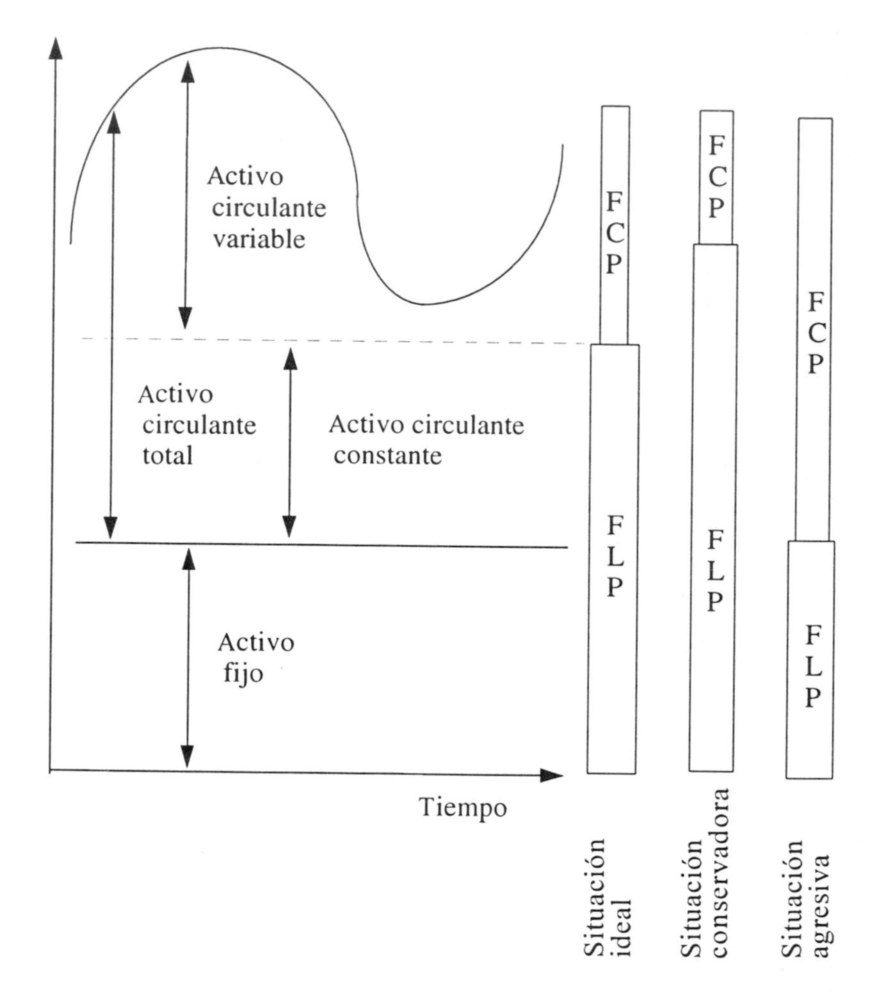

### *Importancia de conocer el costo de capital*

*El costo de capital es fundamental para un ejecutivo financiero por dos razones:*

*a) Representa el costo de las fuentes de financiamiento, pasivo y capital, y por lo tanto es un parámetro de referencia básico para saber si el activo está produciendo más de lo que están costando los recursos.*
*b) Representa una variable que el ejecutivo financiero debe buscar optimizar (al mínimo posible) en todo momento, es decir, es uno de los objetivos de la función del financiero.*

# 8. Análisis de la operación

*El análisis de la operación es importante para poder planear la utilidad de la empresa. Entender la operación, poder desarrollar un modelo matemático que la explique, generar un esquema mental que permita al ejecutivo entender a profundidad el negocio, es necesario para poder planear.*

Para llevar a cabo el análisis de la operación es necesario entender varios conceptos que se irán analizando en este capítulo: costos fijos y variables, función de costo total, función de ventas, función de utilidad, modelo costo-volumen-utilidad, y el punto de equilibrio.

## *Costos fijos y costos variables*

Cualquier definición estricta de costos es exagerada, ya que la operación de ninguna empresa es tan fácil de discriminar. Hablar de costos fijos y costos variables es simplemente un intento por distinguir los costos de una empresa en función del volumen de actividad.

*Los costos variables son los que en su totalidad cambian en función del volumen de producción. En forma unitaria son constantes para cualquier volumen.*

*Los costos fijos son los que en su totalidad permanecen constantes, sin importar el volumen de producción. En forma unitaria tienden a disminuir a mayor volumen.*

Si bien hay costos en la empresa claramente identificables en variables o en fijos, también hay costos que no entran, estrictamente hablando, en ninguna de estas clasificaciones. Sin embargo, la idea de etiquetar los costos, ya sea como variables o como fijos, sólo tiene el objeto de dar las bases para poder desarrollar un modelo de la operación del negocio que permita entenderlo para planear y controlar.

Algunos costos variables son, por ejemplo, la materia prima y el consumo de algunos insumos como la energía eléctrica. Algunos costos fijos son, por ejemplo, los pagos de renta, la luz, los sueldos de empleados indirectos, y otros.

Un criterio que debe tenerse en mente cuando se vaya a definir qué costos dentro de la empresa son fijos y cuáles son variables es lo referente a los rangos de aplicabilidad. *Los costos son fijos o variables pero dentro de un rango de aplicabilidad.* Esto puede ayudar a determinar la naturaleza de un costo, ya que se restringe a un rango.

*Existen dos rangos de aplicabilidad para la clasificación de los costos en fijos y variables*:

*a) Rango de tiempo: Los costos son fijos y variables dentro de un rango de tiempo, normalmente de un año. Para periodos muy cortos (por ejemplo, una semana) todos los costos se pueden considerar como fijos. Para periodos muy largos (por ejemplo, 5 a 10 años) todos los costos se pueden considerar variables.*

Si un cliente cancela su pedido sólo unos días antes de la entrega programada, lo más probable es que se tenga un problema aunque la mayoría de los costos sean variables. ¿Por qué? Simplemente porque en un plazo muy corto, como en este caso, los costos variables se vuelven fijos. Para este pedido que se canceló con sólo unos días de anticipación, los costos variables de materiales y mano de obra, por ejemplo, se volvieron fijos, ya que a pesar del cambio en el volumen de operación éstos ya se tenían comprados; es más, probablemente ya se tiene hasta el producto terminado.

Por otro lado, si se está haciendo una planeación estratégica, digamos a cinco años, todos los costos pueden considerarse variables, ya que en ese tiempo se pueden instalar o quitar plantas enteras de producción, reducir o aumentar dramáticamente la plantilla de trabajadores, etcétera. Es decir, en el largo plazo todos los costos son variables.

*b) Rango de volumen: Los costos son fijos y variables dentro de un rango de operación normal. Para cambios radicales en los volúmenes de producción no necesariamente los costos fijos totales ni los costos variables unitarios son constantes.*

Por ejemplo, tal vez la planta de una empresa puede producir sin mayor problema entre 80,000 y 120,000 unidades al año. Esto podría decirse que es su rango de operación normal. Los costos fijos, como por ejemplo la renta de la planta, o el mantenimiento preventivo, serían fijos dentro de este rango. Para un cambio de volumen de actividad por encima de este rango, seguramente la renta aumentará ya que se requeriría de otra planta, así como de otra plantilla para el mantenimiento preventivo.

Asimismo, los costos variables son constantes por unidad siempre y cuando se esté dentro de un rango de actividad normal, ya que fuera de éste es posible que se logren mejores precios por volumen, o por aprovechamiento de los materiales, por ejemplo.

### *Modelo de costo total*

*La función de costo total no es más que la suma de los costos fijos totales más los costos variables totales* (véase cuadro 1). *A su vez, los costos variables totales serían el costo variable unitario por el número de unidades producidas. El costo fijo total es constante para cualquier volumen de actividad.*

En forma matemática podemos definir la función de costo total de la siguiente forma:

$CT$ = Costo total
$CF_T$ = Costo fijo total
$CV_T$ = Costo variable total
$CV_U$ = Costo variable unitario
$Q$ = Volumen

$$CT = CF_T + CV_T$$
$$CT = CF_T + (CV_U * Q)$$

Como se puede observar, la función de costo total es una función totalmente lineal. En el cuadro 1 se puede ver como la función de costo fijo

CUADRO 1

**FUNCIÓN DE COSTO TOTAL**

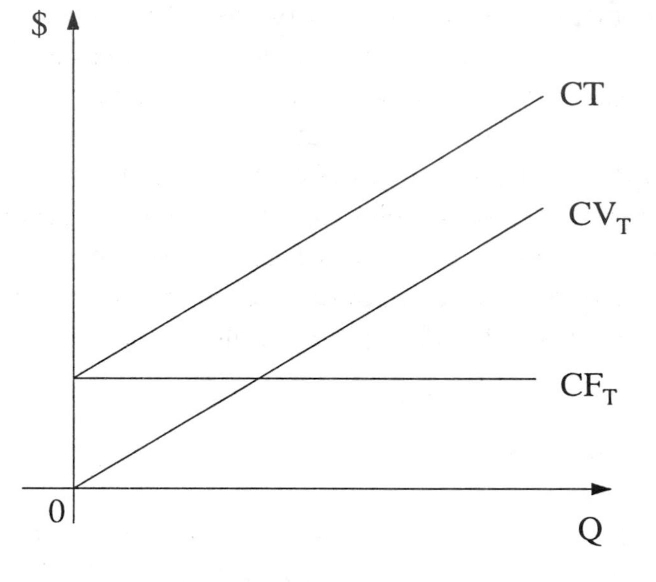


$$CT = CF_T + CV_T$$
$$CT = CF_T + (CV_U * Q)$$

total se grafica como una línea recta horizontal, ya que para cualquier volumen este costo es constante. Por su lado, la función de costo variable total se grafica como una línea recta con pendiente vertical, que parte precisamente del origen (ordenada al origen igual a cero). La pendiente de la función de costo variable total es el costo variable por unidad.

La suma de estas dos funciones, la de costo fijo total y la de costo variable total, equivale a la función del costo total. La función de costo total se grafica como una línea recta con pendiente positiva, que parte del mismo valor que el costo fijo total (ordenada al origen igual al costo fijo total) y cuya pendiente es igual a la función del costo variable total (pendiente igual al costo variable unitario).

*A partir de esta función de costo total se puede obtener la función de costo total unitario, simplemente al dividir la primera entre el volumen* (véase cuadro 2). La función de costo variable unitario se grafica como una línea recta horizontal, ya que sin importar el volumen el costo variable por unidad sería el mismo. La función de costo fijo total se grafica como una curva con pendiente negativa y con asíntota a cero (es decir, a un volumen muy alto, el costo fijo unitario tiende a cero), ya que a mayor volumen el costo fijo por unidad es menor; el costo fijo total se divide entre un mayor volumen de actividad.

La función de costo total unitario se grafica como una curva con pendiente negativa y con asíntota a un valor igual al costo variable unitario

CUADRO 2

**FUNCIÓN DE COSTO TOTAL UNITARIO**

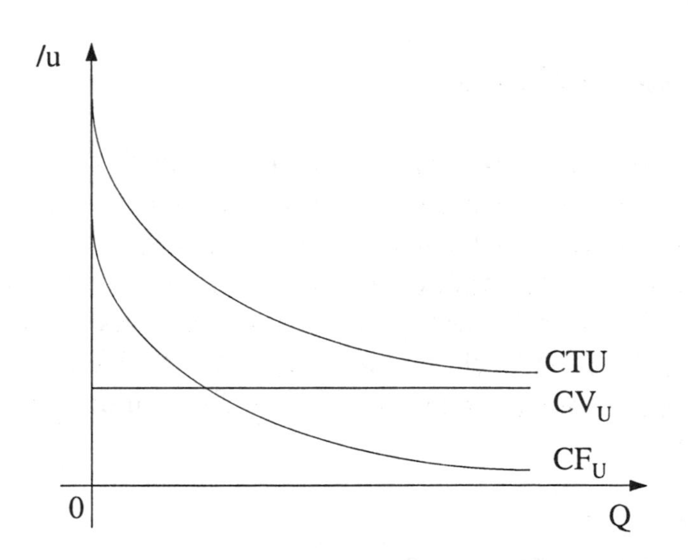


$$CTU = CT / Q$$
$$CTU = CF_U + CV_U$$
$$CTU = (CF_T / Q) + CV_U$$

(es decir, a un volumen muy alto el costo total unitario tiende al costo variable unitario), ya que a mayor volumen el costo total por unidad es menor; el costo total se divide entre un mayor volumen de actividad.

En forma matemática podemos definir la función de costo total unitario de la siguiente forma:

$CT$ = Costo total
$CTU$ = Costo total unitario
$CF_T$ = Costo fijo total
$CF_U$ = Costo fijo unitario
$CV_U$ = Costo variable unitario
$Q$ = Volumen

$CTU = CT / Q$
$CF_U = CF_T / Q$
$CTU = CF_U + CV_U$
$CTU = (CF_T / Q) + CV_U$

### *El modelo costo-volumen-utilidad*

*El modelo costo-volumen-utilidad se obtiene cuando se mezcla la función de costo total y la función de ventas, siendo la diferencia entre estas dos precisamente la utilidad* (véase cuadro 3).

La función de ventas se grafica como una línea recta con pendiente negativa que parte del origen (ordenada en cero). Su pendiente es igual al precio de venta por unidad, debiendo ser mayor al costo variable por unidad.

En forma matemática podemos definir la función de ventas de la siguiente forma:

$VT$ = Venta total
$PV$ = Precio de venta unitario
$Q$ = Volumen

$VT = PV * Q$

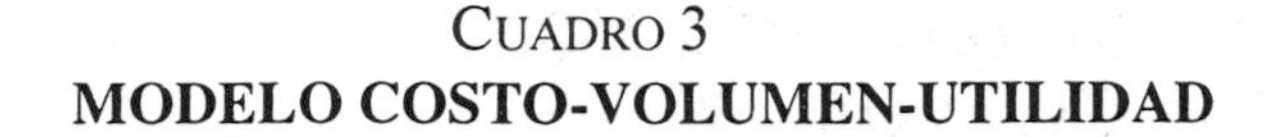

CUADRO 3
**MODELO COSTO-VOLUMEN-UTILIDAD**

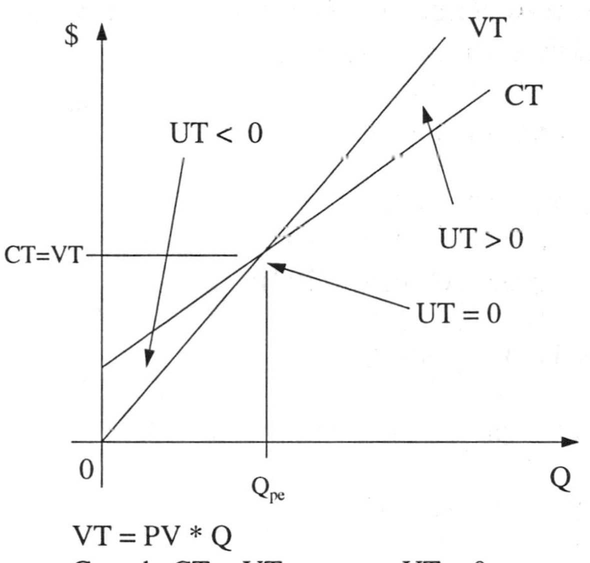


$VT = PV * Q$
Cuando $CT = VT$ entonces $UT = 0$
y Q es el volumen de punto de equilibrio ($Q_{pe}$)

Como se puede observar en la gráfica costo-volumen-utilidad en el cuadro 3, cuando se grafican la función de costo total y la de venta total, para volúmenes de operación bajos el costo total es mayor a la venta total, es decir, se tiene una utilidad negativa (o pérdida). En el otro extremo, la función de venta total muestra valores mayores a los de la función del costo total, es decir, se tiene una utilidad positiva.

En forma matemática podemos definir la función del modelo costo-volumen-utilidad de la siguiente forma:

UT = Utilidad

$UT = VT - CT$
$VT = PV * Q$
$CT = CF_T + (CV_U * Q)$

$$UT = (PV * Q) - (CF_T + (CV_U * Q))$$
$$UT = ((PV - CV_U) * Q)) - CF_T$$

A partir de esta fórmula general del modelo costo-volumen-utilidad se pueden despejar la distintas variables:

*a*) Despejando el volumen (Q):

$$Q = (CF_T + UT) / (PV - CV_U)$$

*b*) Despejando el precio de venta (PV):

$$PV = ((CF_T + UT) / Q) + CV_U$$

*c*) Despejando el costo variable unitario ($CV_U$):

$$CV_U = PV - ((CF_T + UT) / Q)$$

*d*) Despejando el costo fijo total ($CF_T$):

$$CF_T = ((PV - CV_U) * Q) - UT$$

### *El punto de equilibrio*

*El punto donde se cruzan las dos funciones básicas del modelo costo-volumen-utilidad, es decir, donde la venta total es igual al costo total, se puede ver que la utilidad es igual a cero. El volumen que corresponde a este punto, el volumen cuando la utilidad es igual a cero, se conoce como punto de equilibrio (en inglés se conoce como 'breakeven point').* El punto de equilibrio es el volumen donde se rompe con la pérdida y se comienza con la utilidad. Representa un parámetro para medir el nivel de riesgo de una operación, ya que mientras mayor sea éste el peligro de perder es mayor si cae el volumen.

Matemáticamente, el punto de equilibrio se puede obtener de la siguiente forma:

$VT = PV * Q$
$CT = CF_T + (CV_U * Q)$
$UT = VT - CT$

En punto de equilibrio:

$UT = 0$
$VT - CT = 0$
$VT = CT$
$PV * Q = CF_T + (CV_U * Q)$
$(PV * Q) - (CV_U * Q) = CF_T$
$(PV - CV_U) * Q = CF_T$

$Q_{pe} = CF_T / (PV - CV_U)$
punto de equilibrio en unidades físicas

o

$Q_{pe} = CF_T / (1 - (CV_U / PV))$
punto de equilibrio en unidades monetarias

### *Uso del modelo costo-volumen-utilidad*

El modelo costo-volumen-utilidad y el punto de equilibrio pueden apoyar el análisis sobre diversas estrategias para la corporación.

Veamos un ejemplo hipotético. Supongamos que se sabe lo siguiente de la operación de un negocio:

Precio de venta = $80/unidad
Costo variable = $30/unidad
Costo fijo = $250,000 anuales

A partir de estos datos se pueden definir muchos aspectos, como por ejemplo:

*a*) ¿Cuál es el punto de equilibrio para esta operación?

$Q_{pe} = CF_T / (PV - CV_U)$
$Q_{pe} = 250{,}000 / (80 - 30)$
$Q_{pe} = 250{,}000 / 50$
$Q_{pe} = 5{,}000$ unidades anuales

o

$Q_{pe} = CF_T / (1 - (CV_U / PV))$
$Q_{pe} = 250{,}000 / (1 - (30/80))$
$Q_{pe} = \$400{,}000$ anuales

Este resultado simplemente muestra un parámetro sobre el nivel que debe alcanzar al menos la operación de la empresa para evitar tener pérdidas. Con este cálculo, o sin él, no se garantiza que la operación estará arriba de ese nivel; pero si se cuenta con un parámetro de referencia para poder evaluar qué tan cerca se puede estar de caer en un nivel de pérdida, es decir, qué nivel de riesgo se prevé.

*b*) Si se desea una utilidad de $100,000, ¿cuál debe ser el *volumen de operación mínimo*?

$Q = (CF_T + UT) / (PV - CV_U)$
$Q = (250{,}000 + 100{,}000) / (80 - 30)$
$Q = 7{,}000$ unidades al año

*c*) Si se desea la utilidad de $100,000, pero con un volumen de operación de sólo 5,000 unidades al año, ¿cuál debe ser el *precio de venta mínimo*?

$PV = ((CF_T + UT) / Q) + CV_U$
$PV = ((250{,}000 + 100{,}000) / 5{,}000) + 30$
$PV = 70 + 30$
$PV = \$100$ / unidad

*d*) Si se desea la utilidad de \$100,000, pero con un volumen de operación de sólo 5,000 unidades al año, ¿cuál debe ser el *costo variable unitario máximo*?

$$CV_U = PV - ((CF_T + UT) / Q)$$
$$CV_U = 80 - ((250{,}000 + 100{,}000) / 5{,}000)$$
$$CV_U = 80 - 70$$
$$CV_U = \$10 \text{ por unidad}$$

*e*) Si se desea la utilidad de \$100,000, pero con un volumen de operación de sólo 5,000 unidades al año, ¿cuál debe ser el *costo fijo total máximo*?

$$CF_T = ((PV - CV_U) * Q) - UT$$
$$CF_T = ((80 - 30) * 5{,}000) - 100{,}000$$
$$CF_T = 250{,}000 - 100{,}000$$
$$CF_T = \$150{,}000 \text{ anuales}$$

### ***Supuestos de un análisis costo-volumen-utilidad***

El modelo costo-volumen-utilidad tiene algunos supuestos por principio que vale la pena tener presentes:

1. Los costos fijos y los costos variables se pueden determinar certeramente, por lo tanto, se puede establecer una función matemática.
2. Las aproximaciones lineales son válidas.
3. La eficiencia no cambia con el volumen.
4. Los costos fijos, los costos variables y el precio de venta no cambian durante el periodo de planeación.
5. La mezcla de productos (para casos multiproductos) no cambia.
6. Los volúmenes de producción y ventas son aproximadamente iguales, es decir, los cambios en inventario son poco significativos.

*No se debe ver un modelo costo-volumen-utilidad como una simulación perfecta del negocio. Cualquier negocio es demasiado complejo como para pretender modelarlo con una función matemática tan simple. Sin embargo, su sencillez junto con su aproximación al concepto básico de operación del negocio, ofrece al tomador de decisiones una herramienta eficaz para analizar y sensibilizar diferentes alternativas antes de tomar acciones reales en la empresa.*

# Epílogo

Después de leer este libro, parece que vale la pena hacer algunas reflexiones con los hombres y mujeres de negocios que lo han leído.

*Primero*, debe quedar claro para cualquier persona que una empresa debe generar riqueza, debe crear valor, debe dar valor agregado. Una empresa que no genere riqueza, que no cree valor, que no dé valor agregado, no tiene justificación de existir. Es más, es una lacra para la sociedad y para la humanidad completa, y por lo tanto deberían ser eliminadas. No importa si se trata de una empresa privada o de gobierno. Las empresas deben ayudar a que el mundo sea más rico y que tenga más valor. Este mismo principio aplica para los individuos en lo particular.

*Segundo*, para que una empresa sea negocio, simplemente hay que cuidar ciertos conceptos financieros básicos. Éstos pueden ir de lo más elemental —de los principios que nuestros abuelos utilizaban— hasta los conceptos más sofisticados y estratégicos que la teoría financiera moderna ha desarrollado. ¿Qué cuidar para que una empresa sea negocio?

- Vender caro (o mucho) y/o producir barato.
- Que las ventas sean mayores a los costos y a los gastos.
- Que la utilidad de operación sea positiva y lo más grande posible.
- Que las inversiones produzcan más que lo que cuestan las fuentes de financiamiento.
- Que el activo produzca más que lo que cuesta el pasivo y el capital.
- Que el retorno sobre la inversión sea lo más grande posible.

- Que el retorno sobre la inversión futuro esperado sea lo más grande posible.
- Que el valor presente de cada decisión de negocios sea positiva.
- Que el valor presente neto de la empresa sea positivo y lo más grande posible.

*Tercero*, no olvidemos nunca que las finanzas no son las generadoras del valor agregado en la empresa. Los financieros en la empresa no comemos de las finanzas. Comemos, al igual que todos en la organización, de lo que se produce y se vende. Los financieros simplemente generamos y analizamos información sobre el negocio, y apoyamos la toma de decisiones que nos permitirá vender mayor volumen, más caro y producir a menor costo. La relación, por lo tanto, de las cuatro áreas funcionales de negocios —mercadotecnia, producción, recursos humanos y finanzas— debe estar presente siempre en la mente de cualquier hombre o mujer de negocios, y el financiero no es la excepción. El papel del financiero es importante dentro de la empresa, pero no más ni menos importante que el de las otras áreas funcionales. Nunca debe perderse de vista la razón de ser del negocio, y del porqué finalmente se generan las utilidades.

Esta obra se terminó de imprimir
en octubre de 1996, en
TIDISA S.A. de C.V.
Asturias 57 Col. Alamos
México, D.F.

La edición consta de 4,000 ejemplares